D0313275

FOLIO POLICIER

Georges Simenon

L'évadé

Gallimard

© *Éditions Gallimard, 1936.*

Georges Simenon naît à Liège le 13 février 1903. Après des études chez les jésuites, il devient, en 1919, apprenti pâtissier, puis commis de librairie, et enfin reporter et billettiste à *La Gazette de Liège.* Il publie en souscription son premier roman, *Au pont des Arches*, en 1921 et quitte Liège pour Paris. Il se marie en 1923 avec « Tigy » et fait paraître des contes et des nouvelles dans plusieurs journaux. *Le roman d'une dactylo*, son premier roman « populaire », paraît en 1924, sous un pseudonyme. Jusqu'en 1930, il publie contes, nouvelles, romans chez différents éditeurs.

En 1931, le commissaire Maigret commence ses enquêtes… On tourne les premiers films adaptés de l'œuvre de Georges Simenon. Il alterne romans, voyages et reportages, et quitte son éditeur Fayard pour les Éditions Gallimard où il rencontre André Gide.

Durant la guerre, il est responsable des réfugiés belges à La Rochelle et vit en Vendée. En 1945, il émigre aux États-Unis. Après avoir divorcé et s'être remarié avec Denyse Ouimet, il rentre en Europe et s'installe définitivement en Suisse.

La publication de ses œuvres complètes (72 volumes !) commence en 1967. Cinq ans plus tard, il annonce officiellement sa décision de ne plus écrire de romans.

Georges Simenon meurt à Lausanne en 1989.

I

Le tout premier grincement se produisit le lundi 2 mai, à huit heures du matin.

À huit heures moins cinq, comme d'habitude, la cloche du lycée de garçons avait sonné et les élèves épars dans la cour pavée de briques roses s'étaient groupés en longues files devant les classes.

Tout à gauche, du côté du château d'eau, s'alignaient les petits de septième et de sixième, rouges encore et ébouriffés d'avoir couru. À mesure que l'on avançait vers la droite, on rencontrait de plus grands garçons et les derniers, en costume d'homme, avaient des voix rauques et une ombre de moustache aux lèvres.

Les rayons du soleil étaient pointus, l'air vif. On devinait, vers les remparts, la rumeur cuivrée d'une musique militaire et les sirènes annonçaient que c'était l'heure de la marée et que les bateaux de pêche, en file indienne, quittaient le port de La Rochelle.

La minute était quasi rituelle. Devant chaque porte, une file de garçons patientaient. Et les professeurs, encore groupés l'instant d'avant, se serraient la main, gagnaient chacun la tête d'une colonne.

Chaque professeur a son *tempo* à lui. Certains arrivent tête baissée, marchent droit à la porte de la classe et s'effacent pour laisser entrer les élèves sans même les voir.

D'autres, qui s'avancent lentement, savourent cette prise de possession quotidienne, observent les enfants un à un, font claquer le pouce et l'index pour mettre la colonne en marche.

Peu à peu, la cour se vide. Les portes se referment les unes après les autres…

Or, ce jour-là, les élèves de Quatrième B restèrent seuls dehors, frémissant déjà à l'espoir d'un imprévu. J.P.G., le professeur d'allemand qui devait leur faire la classe du matin, n'était pas arrivé.

La tenue de la colonne s'en ressentit. Le rang fut moins droit, puis ne fut plus droit du tout. Des rires succédèrent aux murmures. Le surveillant, qui, de l'autre bout de la cour, avait flairé quelque chose, se mit en marche, sa tête rousse flambant au soleil, mais il n'eut pas le temps d'arriver.

J.P.G. surgissait déjà par l'entrée des professeurs, la serviette sous le bras, l'œil plus farouche que jamais, les moustaches plus sombres. Il marchait à grands pas et il arriva cette chose incroyable qu'il dépassa la colonne, comme s'il eût oublié que, ce jour-là, c'était à la Quatrième B qu'il donnait son cours.

Dans le rang, quelqu'un toussa. C'était son fils Antoine, qui avait de longues jambes, un long cou et un complet gris à culottes bouffantes, Antoine qui assistait, stupéfait, à cette distraction de son père.

J.P.G. s'aperçut pourtant que la cour était vide, fit volte-face avec la brutalité d'un soldat, claqua des doigts en montrant la porte ouverte.

On s'engouffra littéralement dans la classe en se poussant du coude, en pouffant, en toussant. Les pupitres claquèrent. L'élève qui en était habituellement chargé se précipita pour essuyer le tableau noir et mettre des craies neuves.

Il ne s'était rien passé de tellement inouï et cependant l'atmosphère de la classe n'était pas celle de tous les jours. Il y avait de la curiosité, de l'impatience dans l'air.

J.P.G. accomplissait les gestes traditionnels, accrochait son chapeau melon au portemanteau, retirait ses manchettes, qu'il posait dans son tiroir.

La classe était éclairée par des fenêtres qui

se faisaient face. Celles de gauche, donnant sur la cour, étaient fermées, mais celles de droite, larges ouvertes, laissaient entrer des bruits multiples, indistincts. On apercevait le dos des maisons proches et d'autres fenêtres béantes. Il y en avait une, entre autres, à un deuxième étage, que les élèves regardaient toujours.

Ce matin encore, comme chaque matin, une jeune femme bien en chair, aux cheveux blonds roulés sur la nuque, étalait draps et couvertures sur la barre d'appui, retournait le matelas de son lit, disparaissait dans l'ombre de la chambre pour revenir avec une carafe d'eau claire.

Les premières mouches donnaient à l'air une sonorité nouvelle.

Des élèves se laissaient distraire. D'autres, les coudes sur leur pupitre de bois noirci, fixaient le professeur.

De même qu'un gamin avait essuyé le tableau noir, un autre fit le tour de la classe pour ramasser les compositions et les posa sur le bureau de J.P.G.

Une minute, deux minutes peut-être s'étaient écoulées. Le professeur était assis. Normalement il devait maintenant — et même il était en retard ! — donner un coup de règle sur son bureau, observer tous les élèves d'un air farouche, s'arrêter sur une de ses bêtes noires et prononcer avec satisfaction :

— Vous qui êtes si malin, Rendal, récitez-moi donc la liste des verbes inséparables !

Vous qui êtes si malin...

Le cours commençait toujours ainsi. La phrase suivante ne pouvait être que :

— Vous me ferez cent lignes, mon ami !

On ne les faisait d'ailleurs pas. À la leçon prochaine, une semaine plus tard, J.P.G. avait publié à qui il avait donné cent lignes et il fronçait en vain les sourcils en inspectant les élèves. Si d'aventure sa mémoire était fidèle, il prononçait :

— Vous me ferez deux cents lignes !

Certains gamins, comme le gros Cuivers, étaient ainsi arrivés, sans les faire, à seize cents lignes.

J.P.G. pensait-il aux punitions données la semaine précédente ? Sa main, qu'il avait longue et blanche, ne tenait même pas la règle.

Des pieds remuèrent sous les bancs, soulignant ce que le moment avait d'anormal. Antoine toussa une fois de plus. Quelqu'un se retourna. Au troisième rang, un élève écrivit quelques mots sur un bout de papier qu'il lança à un camarade.

J.P.G. continuait à regarder devant lui de ses prunelles couleur de châtaigne, des prunelles à la fois dures et langoureuses surmontées de sourcils épais.

Ce n'étaient pas des yeux de professeur. Par instants, on aurait dit des yeux de femme, ou encore des yeux de Tzigane. Mais c'était rare. Presque toujours J.P.G. avait un air farouche, une tête et une silhouette en bois.

Le faisait-il exprès de prendre une attitude terrible ? Ses complets sombres étaient si droits qu'ils semblaient dater d'avant-guerre. Il portait invariablement des cols montants, très raides, qui lui maintenaient le menton en l'air.

Mais ce qui lui donnait davantage l'allure d'un Bulgare ou d'un Turc d'image d'Épinal, c'étaient les moustaches noires, drues, épaisses, qui lui coupaient le visage en deux.

La jeune femme chantait, là-bas, dans le clair-obscur de sa chambre où bougeaient ses bras blancs. Des élèves baissaient la tête pour rire à leur aise.

J.P.G. ne bougeait pas, regardait ses élèves sans les voir, ne voyait même pas son fils assis au deuxième rang et qui était le plus étonné de tous.

Il connaissait son père. Il savait que ce matin-là il ne s'était rien passé de spécial. Il récapitulait en vain l'emploi du temps, minute par minute.

Le réveil, dans la chambre de ses parents, avait sonné à six heures et demie, comme chaque jour. Comme chaque jour aussi, le coq et les poules caquetaient dans le jardin.

La villa, avenue Coligny, près du Mail, n'avait qu'un étage. Les trois chambres se touchaient, séparées par de minces cloisons, et Antoine entendait sa sœur descendre la première pour allumer le feu, puis son père et sa mère qui s'habillaient.

À sept heures moins le quart, Jean-Paul Guillaume, que les élèves appelaient J.P.G. parce que c'était le paraphe qu'il apposait sur les compositions, entrait dans la chambre d'Antoine qui s'étirait encore dans un rayon de soleil.

— Dépêche-toi ! Il est sept heures.

À ce moment-là, J.P.G. n'avait pas encore son faux col raide et son veston droit. Les bretelles lui pendaient sur les jambes et il achevait de s'essuyer les oreilles.

Ce n'était pas du tout un homme terrible, mais c'était un homme méticuleux, qui voulait chaque chose à sa place, chaque geste à sa place aussi.

Il lui arrivait même de sourire, mais timidement, comme s'il eût craint de décoller son masque ou ses moustaches.

On avait déjeuné, dans la salle à manger dont la porte, depuis trois jours seulement, pouvait rester ouverte sur le jardin. Sur un plat à fleurs pétillaient des petites groseilles rouges, les premières.

Puis, J.P.G. était parti avant son fils, comme toujours, parce qu'il faisait un détour, par hygiène, tandis qu'Antoine retrouvait des camarades et coupait au plus court.

Ce matin-là comme les autres, on avait pu voir le professeur marcher à pas égaux le long du Mail. Arrivé à la Pergola, au bord de la mer, il restait toujours quelques instants à regarder le soleil diluer la buée bleuâtre de l'horizon. Il passait devant le marché aux poissons, suivait le port jusqu'à la Tour de l'Horloge et s'engageait sous les arcades de la rue du Palais.

Cinquante personnes le saluaient, même l'agent en faction près de la Tour. Les petites bonnes lavaient les vitres des magasins. Les vendeuses faisaient les étalages.

Il ne pouvait rien advenir d'extraordinaire. Et pourtant J.P.G. était arrivé en retard ! Il n'avait pas reconnu sa classe tout de suite ! Maintenant, il regardait droit devant lui sans s'occuper de ses élèves !

Une boule de papier tomba sur l'estrade, à un mètre de lui, et cette parabole blanche traversant son champ visuel sembla l'éveiller.

Il remua, se renversa en arrière, mais sans saisir sa règle, sans en frapper un coup sur le bureau.

— Messieurs..., dit-il d'une drôle de voix.

Il avait l'habitude de faire la classe aux grands et il ne disait jamais « mes amis ».

— Messieurs…

Personne n'aurait pu dire au juste ce qui se passait, parce que c'était trop subtil. Mais il se passait quelque chose.

Il se passait que la tête en bois de J.P.G. changeait à vue d'œil, comme un fondu enchaîné au cinéma. Les moustaches étaient toujours à leur place, et les cheveux drus plantés bas sur le front, et les grands yeux marron.

La tête elle-même était d'aplomb sur le faux col rond et roide, mais les traits n'avaient plus leur rigidité. C'était un peu comme une figure de cire qui eût commencé à fondre.

J.P.G. avait prononcé :

— Messieurs…

Et il ne trouvait rien d'autre à dire. Il aurait eu la gorge serrée par un sanglot que cela eût donné le même résultat. Il regardait autour de lui avec angoisse. Il ne voyait que des visages d'enfants, des yeux curieux et déjà amusés.

Il y eut un long silence. Les trompettes militaires se rapprochaient. Les roues d'un camion broyaient lentement le pavé d'une ruelle.

— … Relisez votre leçon pendant quelques minutes…

Ce n'était même pas sa voix ! En prononçant ces mots, il s'était levé et dirigé vers la fenêtre, si bien que maintenant sa silhouette sombre se découpait dans le rectangle de soleil.

Un gamin regarda Antoine et lui adressa un clin d'œil. Antoine lui envoya un coup de pied par-dessous le banc. On ouvrait bruyamment les livres d'allemand. Quelqu'un récitait à mi-voix un texte de Goethe et cela faisait à peu près un bruit de ruche en effervescence.

On percevait la voix égale d'un professeur, à l'étage au-dessus.

Et J.P.G. tournait le dos à sa classe, regardait les maisons proches, la fenêtre où la jeune femme blonde donnait à manger à un canari.

Le signal fut donné par un gamin en culottes courtes qui se mit debout sur son banc et adressa des grimaces au dos du professeur.

Il n'y eut pas d'éclats de rire, mais une rumeur sourde, compréhensible seulement pour une oreille exercée. On s'attendait à une répression immédiate. C'était encore une habitude de J.P.G., qui prétendait savoir ce qui se passait derrière lui et qui lançait par exemple, sans même se retourner :

— Courtois, vous me ferez deux cents lignes !

— Mais, monsieur…

— Trois cents !

Cette fois il ne disait rien. Son dos ne frémissait pas. Un petit rouquin quitta sa place pour aller bavarder trois rangs plus loin. Vial, le fils de l'encadreur, découpa une silhouette burlesque dans du papier et adressa à ses camarades des signes désespérés pour leur demander une épingle.

Vial était maigre, mal portant. Sa longue bouche était gauchement dessinée. Une épingle passa de main en main et arriva jusqu'à lui.

Depuis combien de temps le professeur était-il à la fenêtre ? Guère plus de cinq minutes ! À bien l'observer, on aurait peut-être remarqué que ses épaules étaient remontées, que son menton s'écrasait sur le bord coupant du faux col.

Vial rampa. On vit ses mains émerger de dessus les pupitres et s'élever lentement vers le dos de J.P.G. Le pantin en papier découpé était attaché à un fil, le bout de fil noué à l'épingle et, tandis que toute la classe retenait son souffle, l'épingle s'enfonça dans le dos du professeur d'allemand.

Il faillit bien, à ce moment précis, y avoir un cri collectif. Alors qu'on s'y attendait le moins, en effet, J.P.G. s'était retourné, un J.P.G. encore plus inconnu que celui qu'on avait vu un peu auparavant. Ce n'était plus un professeur devant ses élèves. Ce n'était même plus un homme face à face avec des enfants.

Il y avait quelque chose de malheureux, de traqué dans son regard qu'alluma une soudaine colère. Ses mains blanches eurent un mouvement preste, happèrent la veste de Vial et celui-ci tenta de se dégager.

À cause de la vivacité du mouvement, une couture craqua. Vial, pris de panique, donna des coups de pied et son talon rencontra le tibia du professeur.

Pourquoi J.P.G. était-il aussi effrayant ? On n'en avait jamais eu peur et voilà que tous les rires s'éteignaient. On regardait Vial que les deux mains pâles saisissaient aux épaules.

Si encore J.P.G. eût dit quelque chose ! Mais non ! Il regardait le petit bonhomme comme sans le voir, ou plutôt comme sans voir que c'était un simple élève de Quatrième B !

Il le secouait ! Quelqu'un prétendit par la suite qu'il y avait du mouillé sur les joues du professeur. En tout cas, ses moustaches étaient de travers comme de fausses moustaches et, quand il lâcha enfin le gamin, il ferma un instant les yeux.

Vial, lui, resta par terre en poussant des gémissements. Il n'était pas blessé. Il n'avait peut-être pas mal. Mais il avait heurté le banc. Son veston était décousu à l'épaule.

J.P.G. le regardait avec embarras, avec confusion, partagé peut-être entre le désir de l'achever et celui de lui demander pardon.

Ce fut Courtois, qui était le plus près de la

porte, qui s'élança dans la cour pour avertir le proviseur.

Tout le monde savait ce qu'il était allé faire. On avait conscience de la gravité de l'heure. Cela avait commencé par un retard de quelques secondes, par des rires, par des coups de coude, et maintenant c'était un vrai drame qu'on vivait.

— Vial, levez-vous ! prononça J.P.G. avec effort.

Vial cessa un moment de gémir, lança un regard haineux à son bourreau puis se tordit de plus belle.

— Vial, je vous ordonne…

Trop tard ! Des pas réguliers, que tout le lycée connaissait bien, résonnaient dans le préau. La silhouette du proviseur se profila derrière la porte vitrée, hésita, et enfin il y eut le craquement familier de la porte.

Les élèves se levèrent d'un seul mouvement. Seul Vial resta courbé en deux, les mains sur les reins, des larmes plein les yeux.

— Monsieur Guillaume…, commença le proviseur.

Il n'en dit pas davantage. Du regard, il désigna la porte.

— Vial, allez dans mon bureau.

Il y eut encore un temps d'arrêt, car le proviseur attendait, pour sortir, l'arrivée du surveillant qu'il avait fait appeler. Le surveillant arriva enfin, prit place, non sur la chaise, mais à côté de celle-ci et commanda :

— Assis !

Les pas s'éloignèrent. Antoine reniflait.

— Je vous écoute, monsieur Guillaume.

J.P.G. n'avait qu'à s'expliquer, à adopter une attitude convenable.

— J'ai secoué ce gamin, dit-il en montrant Vial qui pleurait, de la morve sur la lèvre supérieure.

— Je crois même que vous avez déchiré ses habits.

J.P.G. ne répondit pas et le proviseur commença à le regarder avec une curiosité mêlée d'inquiétude.

Car, vraiment, le professeur d'allemand ne paraissait pas réaliser la gravité de la situation. Il y avait pis. On surprenait dans son attitude une désinvolture nouvelle, tout à fait incompatible avec sa fonction. C'est à peine s'il écoutait son supérieur. Il semblait n'attendre que le moment de s'en aller.

— Quel grief élevez-vous contre cet élève, qui a toujours été, je crois, un excellent sujet ?

C'était vrai. Vial battait le record des premiers prix, ce qui n'empêcha pas J.P.G. de rester ironique.

Le proviseur n'en croyait pas ses yeux. Dans son bureau, qui commandait la longue théorie des classes, on n'entrait d'habitude qu'avec respect et crainte.

Jean-Paul Guillaume eût été ivre qu'il ne se fût pas comporté d'une autre manière. C'était si frappant qu'un instant le proviseur se demanda si ce n'était pas la seule explication de l'incident. Mais comment penser qu'on pût être ivre à huit heures du matin ?

Et pourtant... Ces moustaches de travers... Ces pommettes trop roses... Ces yeux qui brillaient d'une façon indécente...

Oui, indécente !

— Monsieur Guillaume, je vous prie de me faire un récit aussi exact que possible de l'incident.

— Croyez-vous que cela en vaille la peine ?

Il ne souriait pas, mais on voyait quand même qu'il s'en fichait !

Vial avait relevé la tête et risquait :

— Mon père portera plainte...

Eh bien ! il arriva ceci que le professeur haussa les épaules !

Il était depuis dix-huit ans dans l'enseignement ! Maintes fois on l'avait donné en exemple à des professeurs plus jeunes qui se permettaient des fantaisies.

Sa vie privée était en harmonie avec sa vie

publique. Jamais on n'avait eu à lui reprocher la moindre peccadille.

Et soudain il se comportait comme… comme…

Le proviseur ne trouvait pas le mot et, faute de pouvoir croire à l'ivresse, commençait à penser à un coup de folie.

— Retournez en classe, Vial, dit-il à l'enfant.

— Pas avec mon veston déchiré.

— Alors, rentrez chez vous. Je vais vous remettre un mot pour vos parents.

Il écrivit quelques lignes d'une écriture régulière, glissa le billet sous l'enveloppe.

— Je les verrai moi-même tout à l'heure.

J.P.G., qui avait d'habitude le teint pâle et mat, montrait maintenant des couleurs d'homme en goguette. Il regarda sortir le gamin sans s'émouvoir.

— C'est idiot ! grommela-t-il, la porte refermée.

— Vous dites ?

Il ne répéta pas le mot, mais le proviseur avait compris.

— Je suis navré, monsieur Guillaume, de vous voir tout à coup sous un jour aussi incompatible avec vos fonctions. Je veux croire que vous ne vous rendez pas compte de la gravité de l'incident. Le père de Vial est conseiller municipal.

Cette fois, il n'y eut aucun doute possible : J.P.G. souriait, d'un sourire amer, triste peut-être, dédaigneux en tout cas.

— Je vous prie de m'écouter sérieusement. Demain, les journaux locaux s'empareront de cette histoire. Il n'est pas possible que, la semaine prochaine, vous donniez votre cours en Quatrième B. Les élèves m'ont paru terrorisés par votre inexplicable brutalité.

J.P.G. soupira. Il était las. Deux ou trois fois il fronça les sourcils, comme s'il faisait un effort pour se remettre dans l'ambiance.

Mais il en était trop loin. Il restait là comme un homme à qui on eût parlé une langue inconnue.

— Je suis forcé de faire un rapport et vous recevrez tout au moins un blâme officiel. Il faut que je vous demande des explications écrites que je transmettrai à l'inspection et qui…

Du bureau du proviseur, on ne voyait ni les maisons ni la fenêtre où pendaient les draps de lit. Le paysage, plus austère, n'était composé que des bâtiments du lycée et le soleil s'arrêtait à dix mètres de la porte.

— Je veux croire que vous avez agi sous le coup d'une contrariété passagère. Dans l'intérêt de tous, je vous donne un congé de trois jours pour maladie et nous verrons ensuite ce que…

Le proviseur pouvait-il imaginer que M. Guillaume lui répondrait avec une désinvolture injurieuse :

— Comme il vous plaira !

C'est pourtant ce qu'il fit ! Puis il se passa la main sur le front, d'un geste vulgaire.

— Vous savez, hésita-t-il, ce gamin est un petit fourbe...

Le regard du proviseur l'arrêta.

— Venez me voir dans trois jours, monsieur Guillaume. Je préfère que vous ne rentriez pas maintenant dans la classe. Je vais faire chercher votre chapeau et votre serviette...

— Mes manchettes aussi ! Elles sont dans le tiroir ! ajouta J.P.G. qui paraissait ne plus se rendre compte de quoi que ce fût.

Et il attendit sous le préau, debout en plein soleil, en tirant sur le côté droit de ses moustaches qu'il mit encore plus de travers.

II

Au sortir du lycée, la serviette de cuir sous le bras, le chapeau très en avant, J.P.G. marcha d'abord comme il le faisait d'habitude et il put croire lui-même qu'il allait rentrer directement chez lui.

Il allait les épaules hautes, le torse en avant, la serviette collée à l'aisselle et, quand on le saluait, il retirait son melon d'un geste large, mais sans détourner la tête.

Or, arrivé place d'Armes, il s'arrêta net, juste en face du Café de la Paix. Depuis le matin, il se promettait :

— Je ne passerai plus rue du Palais.

La rue du Palais s'amorçait à cent mètres de là, avec ses arcades, ses magasins et, quelque part, la maison de coiffure à vitrine mauve.

J.P.G. fit soudain ce qu'il n'avait jamais fait : il entra au Café de la Paix et s'assit sur la banquette, dans l'angle, près de la devanture.

— Donnez-moi un pernod, dit-il de la même voix qu'il prenait pour parler à ses élèves.

Il voulait être calme. Il faisait un effort presque douloureux pour garder un visage impassible, empêcher jusqu'à ses narines de frémir. Puis tout à coup il était pris d'une ridicule envie de briser d'un coup de poing le marbre de la table, ou de s'enfoncer les ongles dans la chair.

Le garçon ne s'aperçut de rien. Comme les quatre joueurs de belote attablés dans l'ombre fraîche et odorante du café qui lancèrent un coup d'œil indifférent au nouveau venu, il ne vit que des traits rigides, de gros yeux bruns, d'épaisses moustaches.

J.P.G. contempla un long moment la boisson trouble avant d'y tremper les lèvres, esquissa un geste qui voulait dire :

— Tant pis !

Il but à longs traits.

— Encore un pernod, garçon !

Il en boirait d'autres ! Il ferait bien des choses encore, à présent ! Le regard fixe, il se contenait et il essayait de ramener sa pensée vers un seul objet. Mais elle s'échappait par les portes larges ouvertes sur la place ensoleillée, elle courait sous les arcades de la rue du Palais, dans la cour aux briques roses du lycée, dans la salle à manger de l'avenue Coligny, à la Pergola, sur le Mail…

Les joueurs de belote buvaient lentement, fumaient, maniaient les cartes, échangeaient des jetons blancs.

J.P.G. n'y tint plus. Il jeta de la monnaie sur la table et sortit, s'enfuit plutôt, traversa la place en biais pour ne pas être tenté de s'engager quand même sous les arcades.

Il franchit la distance d'une haleine, par le jardin public où des arroseuses mécaniques pulvérisaient l'eau au-dessus des pelouses. Il avait sa clef. Il la tourna dans la serrure et resta un moment debout dans le corridor, les genoux tremblants comme un nageur qui a eu très peur de ne pas atteindre la terre ferme.

— C'est toi ? cria une voix, d'en haut.

Ce n'était pas son heure, en effet. Jamais il n'était dans la maison à neuf heures du matin.

— C'est moi.

Il n'entra pas dans le salon. Il pénétra d'abord dans la cuisine où il y avait un poêlon de lait sur le feu. De là, il passa dans le jardinet et vit sa fille qui nettoyait le poulailler.

— C'est toi ? s'étonna-t-elle, elle aussi.

Il ne pouvait plus parler. Son malaise croissait. Il avait besoin de faire quelque chose, de s'installer quelque part.

Seulement, à cette heure-là, il n'y avait pas de

place prévue pour lui. Dans la salle à manger, les chaises étaient posées sur la table et la table elle-même dans un coin, car on allait procéder au nettoyage. La fenêtre de la chambre était ouverte, au premier étage, et Mme Guillaume se pencha :

— Tu n'as pas donné ton cours ?

Naturellement, sa femme et sa fille l'observaient !

— Tu n'es pas malade, au moins ?

Il sentait qu'il allait casser un objet quelconque. Il en cherchait un autour de lui. Il savait que c'était une bêtise, mais il ne pouvait pas l'éviter et la victime fut un géranium dont il prit, entre ses doigts, la large fleur rouge qu'il pétrit jusqu'à la réduire à l'état de bouillie poisseuse.

On n'avait pas vu son geste. Hélène, qui grattait les planches du poulailler, tournait le dos à son père. Le soleil dessinait des losanges dans le jardinet. L'air était si calme qu'il faisait penser à l'eau d'un bassin, on aurait pu croire que chaque geste allait y tracer des ronds.

Hélène portait un tablier rose. C'était une belle fille, un peu boulotte, mais à seize ans beaucoup de jeunes filles ont ainsi des formes indécises qui s'affinent par la suite. D'ailleurs, quelle importance cela avait-il ?

J.P.G. rentra dans la cuisine. Sa femme cria :

— Retire le lait du feu !

Il était trop tard, car toute la crème avait passé par-dessus le poêlon et formait des cloques brunes et mouvantes sur le fourneau.

J.P.G. ne s'en inquiéta même pas. Il remit son chapeau sur la tête, traversa le corridor à grands pas et sortit.

C'était encore un acte inconsidéré, comme les pernods, le géranium, mais il n'y avait rien à faire d'autre.

Dans la rue, il marcha. Il ne marcha pas comme il marchait pour aller au lycée, ni comme il marchait quand il se promenait en famille. Il marcha à pas heurtés, hésitants. Il gagna le Mail, resta plusieurs minutes les narines frémissantes, à regarder la mer.

Des mamans promenaient des bébés assis dans de jolies voitures laquées.

J.P.G. faillit entrer à la Pergola pour boire un nouvel apéritif, peut-être deux ou trois. S'il ne le fit pas, c'est que le patron se tenait sur le seuil et paraissait l'observer.

Tant pis ! Il retourna en ville, s'engouffra dans la rue du Palais, haussa les épaules en passant devant le magasin de l'encadreur Vial.

La maison de coiffure à vitrine mauve était la huitième. Il compta les arcades. De loin, il vit parfaitement l'écriteau. Il en connaissait le texte par cœur. Il en avait chaque mot, chaque lettre sur la rétine :

NOUS INFORMONS
NOTRE AIMABLE CLIENTÈLE
QUE NOUS NOUS SOMMES ADJOINT
LE CONCOURS DE
MADAME MADO
LA RÉPUTÉE MANUCURE PARISIENNE

Mme Mado était là, dans la boutique parfumée ! On ne la voyait pas, mais J.P.G. n'avait pas besoin de la voir.

Ce n'était pas une jeune manucure, ni une jolie femme. C'était une personne de cinquante ans, grasse et molle, aux doigts boudinés et aux jambes enflées par toutes les fatigues de la vie.

Si J.P.G. entrait, brusquement, et se campait devant elle sans rien dire ?

Il ne le ferait pas, non ! Il savait bien qu'il n'en arriverait quand même pas là. Mais si pourtant cela se produisait, qu'adviendrait-il ?

Et si, le matin même, au lieu de la voir de dos il s'était trouvé face à face avec elle, si elle l'avait vu également ? Elle l'aurait reconnu, malgré ses moustaches et sa tête de bois.

Il l'avait bien reconnue, lui, rien qu'à sa silhouette qui le précédait dans la rue du Palais !

Est-ce que, par exemple, il avait le droit

d'aller trouver le commissaire de police et de déclarer :

— Vous savez qui je suis. Les autorités m'estiment. Je voudrais que vous me rendiez le service de conseiller à certaine personne qui s'appelle Mado et qui est manucure de quitter la ville…

Ce sont des démarches qui se font. J.P.G. n'avait qu'à prendre la première rue à droite, pénétrer à l'hôtel de ville et monter au premier étage, où le commissaire central le recevrait aussitôt.

Il tremblait. Il restait debout sur le trottoir, à cinquante mètres de la vitrine mauve, comme un amoureux à un rendez-vous, et des gens se retournaient sur lui.

Si Mado ne s'en allait pas, la vie n'était plus possible. Pourrait-il encore circuler dans les rues, sachant qu'il risquait de se trouver soudain nez à nez avec elle ?

Sa présence était impossible : rien que de la savoir là, rue du Palais, J.P.G. n'était plus capable de se tenir raide, de mettre son chapeau melon sur sa tête, de porter sa serviette sous le bras, de donner ses leçons, de déjeuner dans la salle à manger de l'avenue Coligny en écoutant le bavardage de son fils et de sa fille.

Car il avait un fils et une fille !

Cela semblait encore naturel la veille au soir,

le matin même, mais maintenant c'était saugrenu, c'était indécent, incroyable.

Tout était incroyable ! Qu'il eût, par exemple, épousé à Orléans la fille d'un colonel ! Car sa femme, née Lamarck, était la fille d'un colonel d'Intendance !

Et il y avait dix-huit ans qu'il prenait ses repas à heure fixe, sur une nappe propre, dans une maison bien tenue, dix-huit ans qu'il partait le matin avec sa serviette et son chapeau melon.

Il avait même des enfants ! Il n'aimait pas beaucoup Antoine, qui était plutôt laid et d'une intelligence médiocre, mais il regardait Hélène avec plaisir.

Seulement, il ne la connaissait guère. Il ne parlait pas beaucoup et on ne lui parlait pas davantage. Dès les premiers jours de son mariage, l'habitude avait été prise, tout naturellement. Sa femme et lui dormaient dans le même lit. Il lui disait :

— J'ai deux nouvelles leçons particulières.

Ou bien elle annonçait :

— J'ai commandé du linoléum pour la salle de bains.

Ils vivaient ensemble et c'était tout. Qu'auraient-ils pu se confier d'autre ? Qu'est-ce que J.P.G. aurait raconté à ses enfants ?

Il s'épongea. Il se voyait tout entier dans une

vitrine située de l'autre côté de la rue et il s'étonnait d'être ainsi.

Pourquoi n'irait-il pas carrément trouver Mado ? Pas dans la boutique du coiffeur. Il attendrait sa sortie. Elle devait avoir loué une chambre meublée, ou elle habitait à l'hôtel.

Il lui rendrait les deux mille francs de ses bagues…

Ses mains devenaient moites rien que d'y penser. Il y a des moments où l'air est si chargé d'électricité que la nature entière, gens et bêtes, attend avec angoisse l'orage qui ne peut manquer d'éclater.

Il en était là. L'électricité était en lui. Il ne tenait pas en place. Il avait mal partout. Il sentait que quelque chose devait arriver. Mais quoi ?

Alors il entra au bureau de tabac du coin, franchit la petite porte donnant accès au comptoir de zinc et but un nouveau pernod.

Soudain il redressa la tête et regarda devant lui avec effroi. Il venait, sans s'en rendre compte, de cracher par terre !

C'était un geste qu'il n'avait plus fait depuis dix-huit ans, depuis vingt ans même. Tous les autres allaient-ils lui revenir aussi ?

Il fallait voir Mado sans attendre, lui parler, la supplier de s'en aller immédiatement.

Sinon, tout croulait ! Déjà J.P.G. était un

étranger dans une atmosphère qui lui était pourtant si familière. En passant devant l'agent de la Tour de l'Horloge, il oublia de lui rendre son salut. Il ne leva pas la tête pour voir l'heure, comme il le faisait d'habitude.

Ce n'était plus lui, ce n'était plus sa démarche, ni, en dépit des moustaches, sa physionomie.

Avait-on le droit de le remettre en prison ? Pour certains délits, il existe des délais de prescription. Mais pour un crime ?

Il devait le demander à un avocat. Ou plutôt non, car l'avocat s'étonnerait et se douterait peut-être de quelque chose !

J.P.G. rôdait toujours rue du Palais sans s'apercevoir que le mouvement de la rue avait changé : les garçons du lycée suivaient le trottoir, par petits groupes, et ceux de Quatrième B se retournaient sur lui.

Il s'en rendit seulement compte quand quelqu'un se campa devant lui en silence, son fils qui, après avoir attendu longtemps, balbutia enfin :

— Tu ne rentres pas ?

— Tout à l'heure.

Antoine s'en alla tristement, en évitant de se mêler à ses camarades. D'ailleurs, il n'en avait pas beaucoup parce qu'il était fils de professeur et que, du coup, on le traitait de rapporteur.

J.P.G. eut l'impression que quelqu'un, comme

lui, attendait sur le trottoir. Il observa l'homme, qui avait de cinquante-cinq à soixante ans et qui était assez mal habillé. On ne pouvait déterminer sa profession, ni même sa classe sociale. Il restait debout, à regarder le salon de coiffure dont la porte finit par s'ouvrir. Mado parut, traversa la rue et prit le bras de l'inconnu.

Cela s'était passé si simplement que J.P.G. en restait dérouté. Il avait vu Mado de face. Il l'avait très bien reconnue. Ses traits étaient les mêmes, comme l'expression de son visage.

Elle avait toujours mis beaucoup de poudre, de rouge aux lèvres et aux pommettes. Maintenant qu'elle était manucure, c'était en outre une nécessité professionnelle.

Elle marchait au bras de l'homme à cheveux gris et le professeur suivait à dix mètres, machinalement. C'était bien sa façon aussi de s'accrocher au bras d'un compagnon ! Rien que ce geste trahissait tout son caractère ! Elle avait besoin de quelqu'un ! Non pas pour la nourrir ! Non pas pour lui prendre quelque chose, mais, au contraire, pour donner !

J.P.G. était sûr que c'était elle qui entretenait le vieux, qu'elle reprisait ses chaussettes et que, le soir, elle lui servait de la tisane dans son lit !

C'était Mado !

Seulement elle s'était épaissie. La taille n'était plus marquée. La largeur était pareille des épaules aux hanches et même on devinait des bourrelets graisseux qui faisaient plisser le vêtement à chaque pas.

Elle n'était pas bien habillée. Ses bas étaient en coton, et ses talons tournés. Les chaussures de l'homme, d'anciennes chaussures brunes décolorées, étaient plus éculées encore.

Ils n'en marchaient pas moins tranquillement tous les deux, presque comme des amoureux, et ils se racontaient leurs petites affaires.

Comme c'était le premier jour que Mado travaillait à la parfumerie, elle devait mettre son compagnon au courant de ce qui s'était passé.

Et J.P.G. en arrivait à les épier avec une sourde envie.

Il ne prenait pas garde au chemin qu'on suivait. Il regardait seulement les deux dos, la nuque rose de Mado, qui avait gardé une fraîcheur remarquable, comme toute sa chair qu'elle avait aussi claire et aussi tendre qu'un bébé.

On avait quitté la rue du Palais. On avait longé une rue étroite et on débouchait sur le port, non loin du phare, là où s'alignent quelques restaurants et des bastringues.

Le couple semblait connaître La Rochelle. Il entra dans un des restaurants, celui du coin, où il y avait juste six tables et où ne fréquentaient que des habitués.

J.P.G. n'y avait jamais mis les pieds. En général, il passait tout raide, le regard braqué droit devant lui.

Quel air avait-il aujourd'hui, sans sa serviette, cependant qu'il rôdait dans la ville ? Il vit les petites tables couvertes de nappes en papier. Sur chacune, il y avait un huilier et un pot de moutarde, ainsi qu'un menu fait à la pâte à copier. Le couple s'était installé à gauche, près de la fenêtre, et Mado avait tiré le rideau pour suivre le mouvement du port.

J.P.G. était si abruti qu'il faillit être renversé par une camionnette. Les trois pernods mettaient une certaine langueur dans ses membres, sans rien enlever à sa fièvre.

Tout à coup, il aperçut Vial qui suivait le trottoir, non pas le fils, mais le père, et, pour éviter une explication, il se précipita vers la Tour de l'Horloge, puis vers le Mail.

Il était obligé de rentrer chez lui. C'était nécessaire. On verrait après. Comme le matin, il pénétra précipitamment dans le corridor et eut la sensation d'une conversation qui cessait tout d'un coup.

On ne s'était pas encore mis à table ; on ne se serait pas permis de commencer à manger sans lui.

La porte-fenêtre, entre la salle à manger et le jardin, était ouverte et le chat étendu de tout son long sur la pierre bleue du seuil. Antoine, qui venait de raconter l'incident du matin, baissait la tête.

Hélène, pour dissiper la gêne, apporta tout de suite les hors-d'œuvre et s'écria :

— Mangeons.

Il y avait des radis et des filets d'anchois. J.P.G. pensa à l'huilier, au pot de moutarde et, sans le savoir, il mit les deux coudes sur la table, ce qu'on ne l'avait jamais vu faire.

Sa femme était aussi grasse que Mado, mais moins rose, moins bien conservée. Elle avait toujours eu un aspect un peu terne comme si un voile de grisaille eût enveloppé toute sa personne.

Toujours aussi elle avait été fatiguée. Elle sortait peu. Elle se traînait d'une pièce à l'autre en se plaignant de tout ce qui n'allait pas.

J.P.G. se servit machinalement de radis et les croqua en regardant le jardin où les poules orpington mettaient une note rousse.

— Il y a eu cinq œufs, annonça Hélène, comme pour venir au secours de son père.

— Ils reviennent plus cher qu'au marché, précisa Mme Guillaume.

Antoine avait les paupières rouges. De temps en temps, il reniflait et sa mère, impatientée, finit par lui dire :

— Tu n'as pas de mouchoir ?

On entendait le tic-tac de l'horloge et le sifflement de l'eau qui bouillait dans la cuisine. Hélène se leva pour aller chercher les côtes de veau et la purée.

Mais le chat avait beau s'étirer, le soleil dorer le mur, Hélène s'acquitter du service avec entrain, rien ne permettait de considérer cette journée comme une journée normale, ce repas comme un repas ordinaire.

Pourquoi Mme Guillaume ne demandait-elle pas franchement :

— Que s'est-il passé ce matin ?

J.P.G. en aurait bien parlé, mais il ne savait comment s'y prendre. Il sentait qu'on l'observait et que chacun, même Antoine, se rendait compte qu'il n'était pas dans son état habituel.

Il tira sur ses moustaches, persuadé qu'elles prenaient une drôle de tournure, toussa, murmura :

— On a encore mangé du veau, hier.

— Avant-hier, rectifia gentiment Hélène. Mais c'était du rôti.

Sa femme lui lançait de petits regards en dessous, comme on épie un malade qu'on ne veut pas inquiéter. Est-ce que l'attitude de J.P.G. était si extraordinaire que ça ? Il finissait par être pris de panique, n'osait poser son regard nulle part, mangeait gauchement, comme si ses mains elles-mêmes l'eussent gêné.

Il était chez lui, pourtant, mais essayait en vain de s'y sentir chez lui. C'était complexe. Il se comportait comme un coupable, semblait attendre des coups ou des reproches.

Le dîner s'acheva quand même. Hélène servit le café, dans les tasses japonaises qui avaient été données par un frère du colonel lors du mariage.

Alors seulement, Mme Guillaume dit d'un ton détaché :

— Que vas-tu faire ?

J.P.G. rougit. Ses joues et ses oreilles devinrent brûlantes. Ses yeux brillèrent.

— Je ne sais pas.

Que voulait-elle dire ? Que pouvait-il faire ?

— Les Vial sont des gens qui aiment les histoires.

Antoine gagna sa chambre, préférant rester neutre.

— Oui..., souffla J.P.G.

C'était difficile ! Il aurait fallu quelqu'un pour le conseiller, pour l'aider, quelqu'un comme Mado, par exemple. Et il rougit davantage rien qu'en y pensant.

Pourquoi sa femme le regardait-elle ainsi ? Et pourquoi ne parlait-elle pas plus franchement ?

C'était toujours la même chose ! Elle disait un mot, comme ça, puis un autre, la bouche pincée, le regard placide et triste.

Était-il nécessaire de prendre un air de victime parce qu'il avait secoué un petit morveux ?

Il en devenait malade. Il éprouvait le besoin d'être dehors, dans une atmosphère anonyme.

— Tu t'en vas ?

— Oui.

Elle n'osa pas lui demander où il allait. Elle se contenta de soupirer :

— C'est une histoire très, *très* désagréable.

Quant à Hélène, elle murmura :

— Tu ne bois pas ton café ?

Est-ce qu'il savait, lui, s'il devait boire son café ? Pourtant, il fit une sortie normale, plia sa serviette comme d'habitude, se tint très droit, posa son chapeau un peu en avant comme il le faisait toujours.

Mais, une fois dans la rue, il dut résister à l'envie de courir.

III

Quand J.P.G. rentra, vers sept heures du soir, il comprit, dès le premier contact avec l'atmosphère de la maison : la porte était ouverte entre la salle à manger et le salon ; le petit carafon du service, qui contenait de l'eau-de-vie, avait été débouché, cela se sentait ; du corridor, au surplus, J.P.G. entendait la voix de sa femme, celle qu'elle prenait quand il y avait du monde, qui disait :

— Je suis sûre que c'est lui qui rentre.

Enfin cela sentait le cigare. J.P.G. ne se renfrogna pas, ne manifesta aucun sentiment. Il était mouillé car, vers les quatre heures, une averse avait inondé La Rochelle et il avait continué à errer quand même comme un chien sans maître. Il frotta longuement ses pieds au paillasson, poussa la porte du salon et, dans la pénombre, aperçut la grosse tête rouge du docteur, sa barbiche couleur de chanvre, le point lumineux de son cigare.

— Figurez-vous que je passais justement quand...

Et Mme Guillaume s'écriait :

— Le docteur n'a pas voulu partir sans te serrer la main.

Le salon était feutré par le crépuscule et le parfum combiné du cigare et de l'eau-de-vie en accroissait l'intimité.

— Je vais allumer..., dit Mme Guillaume.

— Mais non, protesta le docteur. Je ne reste qu'une minute.

J.P.G. n'était même pas étonné, car sa femme avait une peur atroce des maladies et, dès qu'il avait le moindre bobo, elle s'arrangeait pour le mettre en présence de Digoin, qui était un ami. Cela faisait partie d'un tout : elle s'inquiétait de sa santé comme elle le servait le premier à table, comme elle lui tendait son chapeau quand il partait, comme aussi elle lui avait parlé, dès les premières semaines du mariage, d'une assurance sur la vie.

J.P.G. n'avait pas envie d'être féroce et pourtant il tendit son poignet gauche au docteur, qui fut éberlué.

— Mais... je ne viens pas pour une consultation... Vous n'êtes pas malade, que je sache ?

— Je ne jurerais pas qu'il soit bien portant non plus, se hâta d'intervenir Mme Guillaume.

On y était arrivé ! Digoin, sa montre en argent d'une main, prenait le pouls de J.P.G.,

Hélène, dans la salle à manger, commençait à dresser le couvert. Dans sa chambre, Antoine faisait ses devoirs.

— Vous ne ressentez aucun malaise particulier ?

— Aucun.

— À mon avis, vous vous êtes surmené ces derniers temps. Je vous trouve nerveux, mais sans que cela soit inquiétant.

J.P.G. n'avait pas envie non plus de sourire. Il écoutait gravement en recevant au visage l'haleine du médecin qui l'auscultait.

— Vous ne dînez pas avec nous, docteur ? fit poliment Mme Guillaume.

— Impossible. Ma femme m'attend.

Puis encore des politesses. J.P.G. avait les yeux cernés par la fatigue, les jambes lasses, l'estomac malade. N'empêche que, Digoin parti, il s'assit à sa place, dans la salle à manger, devant la soupière fumante. Sa femme était en face de lui, sa fille à droite, Antoine à gauche. Au-dessus de la soupière pendait un large abat-jour de soie rose.

— Le professeur de philosophie est venu pour te dire que les choses allaient s'arranger. Tu reprendras tes cours vendredi comme si tu avais été malade.

Il fit oui de la tête. Il ne voulait contrarier personne. Et, jusqu'à dix heures du soir, il attendit avec angoisse le moment d'être seul.

Les enfants l'embrassèrent, gagnèrent leur chambre. Mme Guillaume commença à se déshabiller et J.P.G. pénétra dans le cabinet de toilette dont il tira le verrou.

Il avait au front une barre douloureuse et il salivait sans parvenir à humecter sa gorge sèche.

Il n'avait rien à faire dans le cabinet de toilette, rien qu'être tout seul. Et, comme il y avait une glace, il se regarda.

C'était toujours lui, avec ses moustaches, ses cheveux drus, ses prunelles grandes et brunes comme des noisettes. Il cacha les moustaches de ses deux mains, mais cela ne changea rien à sa physionomie.

On essaya d'ouvrir la porte. Mme Guillaume s'inquiéta.

— Qu'est-ce que tu fais ?

— Je viens.

Il ouvrit un robinet, pour expliquer sa présence. Et, presque sans transition, la nuit commença. Il se trouva couché dans le grand lit de noyer, sous l'édredon vert, à droite de sa femme qui avait déjà chaud. Il poussa le commutateur en forme de poire qui pendait près de sa tête et la lumière s'éteignit ; on aperçut la nuit bleutée derrière les rideaux des fenêtres.

Il ne pleuvait plus. Il n'y avait eu qu'une ondée fluide, brutale et froide, de grandes hachures de pluie courbées par le vent. Mais cela suffisait pour laisser à J.P.G. un souvenir humiliant de chien mouillé.

— Bonsoir.

— Bonsoir. Tu te sens bien ?

— Oui.

Désormais, il fallait entasser les heures, les minutes, une à une, lentement, péniblement. D'abord, Mme Guillaume eut l'air de dormir ; sa respiration devint régulière et, après quelques mouvements involontaires, elle resta immobile.

Mais un quart d'heure ne s'était pas écoulé que J.P.G. sentait qu'elle s'était réveillée. Il n'aurait pas pu dire à quoi il le sentait, mais elle s'était éveillée, il eût même juré qu'elle avait les yeux ouverts et qu'elle guettait le bruit de sa respiration.

Malgré toute sa bonne volonté, il était incapable de feindre le sommeil. Il suait, ne pouvait rester cinq minutes dans la même position et, quand il se retournait, il avait un râle involontaire.

Il se battait avec des images qui ne voulaient pas quitter sa rétine, qui refusaient même de se laisser mettre en ordre. Il revoyait sa classe du matin, la fenêtre derrière laquelle une belle fille faisait son lit, puis la cour rose qu'il avait traversée.

Il revoyait Mado qui marchait dans les rues de La Rochelle au bras du drôle de vieux bonhomme.

Il s'était renseigné. Maintenant, il savait tout. Il avait longtemps hésité à interroger les gens, parce qu'il n'en avait pas l'habitude, mais en fin de compte il avait même pénétré dans le petit restaurant aux nappes en papier.

Le couple était arrivé depuis trois jours, en quête de travail. Sur la fiche, il avait déclaré venir de Cognac.

Tout de suite, la femme avait demandé l'adresse des coiffeurs et elle en avait fait le tour, se proposant comme manucure. Quant à l'homme, qui était un ancien chauffeur de grande maison, il avait erré de bistrot en bistrot et, l'après-midi même, il avait trouvé un emploi : avec une vieille camionnette, il vendrait désormais des fromages dans les campagnes pour le compte d'un épicier de la rue des Merciers.

Leur chambre était au-dessus du restaurant.

— Une seule ? avait demandé J.P.G.

— Une chambre à un lit, oui.

Il n'était pas jaloux, mais il voulait savoir. Il aurait même aimé voir la chambre, qu'il imaginait blanchie à la chaux, avec un lit de fer, une armoire en pitchpin et une courtepointe grisâtre.

Il avait encore attendu Mado à sa sortie du salon de coiffure mauve. Il l'avait suivie de loin, tandis qu'elle rentrait à l'hôtel où elle avait retrouvé son compagnon.

Maintenant, il était fatigué comme il ne l'avait jamais été de sa vie. Ses membres étaient aussi rompus qu'à coups de barre de fer ; mais il ne tenait quand même pas en place.

Qu'est-ce que sa femme attendait ? À quoi pensait-elle, couchée, dans l'obscurité, à côté de lui ?

N'était-ce pas hallucinant qu'elle fût là ? Tout n'était-il pas hallucinant, la maison même, et les enfants dans les deux chambres voisines, et la salle à manger quiète, et le poulailler, tout enfin, les moustaches, le chapeau melon, les devoirs à corriger !

Et personne ne savait ! Personne ne se doutait de la réalité des choses ! Ils vivaient tous, autour de lui, comme si cela eût été naturel !

C'était à se jeter la tête au mur, surtout maintenant que c'était fini !

Car il allait arriver quelque chose… Il n'était pas possible qu'il en fût autrement…

J.P.G. aurait dû aller voir un avocat, se renseigner sur la prescription.

Il avait chaud. Ses joues brûlaient. Il aurait

voulu se lever, boire un grand verre d'eau, rester une heure à la fenêtre qui, de loin, lui faisait l'effet d'un bain frais. Mais il devinait déjà la voix de sa femme :

— Où vas-tu ?

Il n'allait nulle part ! Il ne savait pas ! Ce qu'il aurait fallu, c'était ne pas penser. Or, il n'y avait pas moyen.

Qu'est-ce qui était la réalité ? La maison de l'avenue Coligny ou tout le reste, les choses qui s'étaient passées jadis ?

Il ne savait plus. Pendant dix-huit ans, il ne s'était pas posé la question, il ne s'était pas demandé s'il était heureux, ni s'il avait raison d'agir comme il agissait.

Il faisait patiemment, honnêtement tout ce qu'on doit faire.

Il louait une villa dans le quartier où habitaient tous les professeurs, et, dès qu'il avait eu un peu d'argent, il l'avait achetée avec facilités de paiement.

Les meubles étaient solides. C'étaient, eux aussi, les meubles qu'il convenait d'acheter.

Il avait une femme, des enfants. Tous étaient correctement habillés.

Et voilà que, malgré tout, cela n'avait pas l'air vrai ! Sa femme était couchée à côté de lui et il ne pouvait rien lui dire. Au dîner, il avait regardé Antoine et il n'avait pas eu la sensation que c'était son fils.

Tous étaient là, à le guetter, à faire venir le docteur, et sûrement que l'après-midi ils avaient parlé de lui avec mystère.

Par contre, sur les quais, dans la chambre du premier, au-dessus du restaurant aux six tables, Mado était couchée près de l'ancien chauffeur !

— Pourvu qu'elle n'entende pas citer mon nom ! pensa soudain J.P.G. dont les genoux tremblèrent convulsivement.

Car elle savait son nom, puisque c'était elle qui lui avait procuré les faux papiers ! Elle savait que, maintenant, il s'appelait Jean-Paul Guillaume. Elle savait…

Et Mme Guillaume ne bougeait pas, lourde et tiède dans les draps, vivante, l'oreille aux aguets !

Que faisait-elle, elle, vers 1905 ? Elle vivait à Orléans, comme Hélène vivait maintenant dans la villa de l'avenue Coligny. Elle aidait sa mère à tenir la maison. Elle jouait du piano, faisait ses robes elle-même et, trois ou quatre fois par an, allait au bal !

1905…

J.P.G. ne pensait pas à 1904, ni à 1906. Après tant d'années, il n'y en avait qu'une qui comptât, non qu'elle fut la plus importante, mais parce que des souvenirs précis s'y rattachaient.

En 1905, c'était l'Exposition Universelle de Liège.

J.P.G., qui était né à Paris et qui s'appelait Vaillant, vivait entre la place des Ternes et la Bastille.

L'Exposition Universelle, la grande, avec la tour Eiffel et la Grande Roue ne l'avait pas marqué, parce qu'il était trop jeune.

Mais, en 1905, il était un homme. Il avait terminé ses études. Il parlait quatre langues. L'été, il portait un canotier plat à bord très large, avec un ruban multicolore, un petit pardessus mastic et des souliers plats eux aussi, et longs, couleur caca d'oie.

Il avait même des soupçons de favoris qui mettaient en valeur son teint mat, ses yeux noisette.

Il avait d'abord travaillé à la « réception » du Grand Hôtel, place de l'Opéra, et c'est là, au bar, qu'il avait fait la connaissance de Mado.

— Tu dors ? souffla Mme Guillaume.

Il retint son souffle et ne répondit pas, cependant que sa femme se retournait lourdement et soupirait.

Elle ne broncherait même pas, elle, s'il prononçait devant elle le nom de Polti ! Au fait, il ne savait même pas ce qu'il était devenu.

C'était Polti, en ce temps-là, qui s'occupait

des jeux à Paris. Il était brun comme J.P.G., capable de passer des jours et des nuits sans dormir. Il n'avait peur de rien, ni de personne, pas même de la police.

Comme les jeux étaient défendus, il avait acheté une voiture de déménagement et il y avait entassé tout le matériel nécessaire, les tables, les tapis, les roulettes, les sièges et jusqu'à un bar en miniature.

Le matin, J.P.G., qui avait une chambre dans un hôtel de la rue Caumartin, recevait un coup de téléphone :

— 16, avenue de Villiers…

Et le jeune Vaillant n'avait qu'à se laisser vivre, prendre l'apéritif au Ritz ou au Crillon, déjeuner au cabaret, puis passer l'après-midi aux courses. Sa connaissance des langues lui permettait de lier conversation avec les étrangers. Il se présentait à eux comme un fils de famille, ainsi qu'on disait alors.

Le soir, il les amenait jouer avenue de Villiers, où Polti avait trouvé le moyen, en quelques heures, d'installer son tripot, quitte à changer d'adresse la nuit même si la police était prévenue.

Mado était entretenue par un industriel hollandais qui ne venait à Paris que quatre ou cinq fois par mois. C'était une belle fille, un peu plus âgée que Vaillant qu'elle traitait en enfant.

1905...

— On pourrait aller faire un tour à l'Exposition de Liège, avait dit Polti. À Spa, tout à côté, il y a les jeux.

Ils étaient partis en Belgique, une demi-douzaine qui s'étaient installés dans le meilleur hôtel de Liège, boulevard d'Avroy.

J.P.G., qui n'était jamais retourné là-bas, revoyait nettement la ville, le nouveau pont sur la Meuse, le quartier neuf, le jardin d'Acclimatation et le water-chute...

Il revoyait même les machines gigantesques qui fabriquaient du chocolat sous les yeux du public et il croyait en sentir l'odeur.

Dans la bande, il y avait un garçon qui avait la manie de chiper les portefeuilles, et celui-là, après quinze jours, avait été reconduit à la frontière.

Qu'était-il devenu ? Il s'appelait Victor et portait toujours des cravates rouges...

Polti, lui, travaillait à Spa, au casino. Ce n'est qu'après un mois qu'on le soupçonna de tricher au baccara, mais il fut impossible de le prouver.

Mado venait deux ou trois jours par semaine. Le couple se promenait en barque sur la Meuse, comme de vrais amoureux. De temps en temps, quand Mado faisait la connaissance d'un riche étranger, elle l'amenait à Polti et on organisait un poker, dans l'arrière-salle d'un grand café.

— Tu dors ?

J.P.G. grogna. Il ne savait plus au juste si c'était Mado ou sa femme qui était à côté de lui. Ses oreilles cuisaient. Il eût donné gros pour agiter ses muscles, se secouer.

Mais ce n'était pas possible. Et il savait bien où il allait en arriver.

Ne voila-t-il pas qu'un jour Polti décide de se fixer à Baden-Baden pour toute la saison ? Mado, qui a son Hollandais, ne peut pas s'éloigner si longtemps de Paris. Vaillant décide de rester avec elle.

J.P.G. s'agite et sa femme, appuyée sur un coude, l'observe dans la demi-obscurité. Elle croit qu'il rêve, qu'il a la fièvre.

Et lui revoit le pardessus mastic (on disait un *pète-en-l'air !*), le canotier plat, la canne de jonc à pomme d'or.

Des silhouettes grouillent dans sa mémoire : d'abord Victor et sa cravate, puis Polti qui ne se démontait jamais, même quand la police l'emmenait à l'écart d'une salle de jeu pour lui fouiller les manches et les poches.

Il souriait, de toutes ses dents blanches, les mêmes dents saines que J.P.G. !

Sa femme le regarde toujours en soupirant. Qu'est-ce qu'elle pense ? Oui, que peut-elle penser ?

Elle n'a seulement jamais vu les salles de jeux

d'un casino, les bars des grands hôtels, ni le pesage un jour de Grand Prix, ni le linge d'une femme comme Mado au temps de sa fortune.

Voilà Polti à Baden-Baden, Vaillant et Mado à Paris. On attend le Hollandais et son argent. Il ne vient pas. Huit jours passent et on apprend soudain qu'il est mort d'une embolie, chez lui, entre sa femme et ses enfants !

Est-ce toujours en 1905 ? C'est au mois d'août, en tout cas. Paris est vide. Vaillant n'a pas d'argent pour aller à Trouville et Mado a des dettes.

Il fait chaud, aussi chaud que dans le lit qu'écrase Mme Guillaume. Les crédits se raréfient dans les restaurants et dans les bars. La plupart des maîtres d'hôtel que l'on connaît sont dans les villes d'eaux.

Mado cherche un nouvel amant, mais Vaillant, qui se croit aussi malin que Polti, échafaude une combinaison.

Mado rentrera dans son appartement avec un amant aussi riche que possible. Au bon moment, Vaillant fera irruption, en se donnant pour son frère, menacera, un revolver à la main, exigera réparation, ne transigera que contre la forte somme…

Qu'est-ce qu'elle pense donc, Mme Guillaume, qui s'est recouchée mais qui ne dort toujours pas et qui, de temps en temps, touche le poignet de son mari pour lui prendre le pouls ? Son mari ? Ce n'est même pas son mari, puisqu'il ne s'appelle pas Guillaume ! Il ne sait pas qui est Guillaume ! Le passeport à ce nom, c'est Bébert l'Italien qui l'a vendu, celui qui tient boutique de faux papiers dans une brasserie de la place Blanche !

— L'affaire Vaillant...

Sa femme s'en souvient peut-être. Tous les journaux en ont parlé. Car Mado a bien ramené chez elle un homme qui avait l'air d'un riche bourgeois. C'était un minotier de l'Eure.

Vaillant a surgi, menaçant, jouant son rôle de frère indigné. Seulement, le minotier ne l'a pas pris ainsi. Il a saisi le jeune homme aux épaules. Il a voulu le flanquer dehors en le menaçant de la police.

Et Vaillant, effrayé, râleur, a tiré pour de bon, par trois fois, en plein ventre de son adversaire qui est tombé en travers de la porte.

Antoine dort en pensant à la classe du lendemain. Hélène rêve peut-être de ses poules et Mme Guillaume doit imaginer des médicaments merveilleux pour calmer les nerfs de son mari. C'est étonnant qu'elle n'ait pas encore parlé de pansements humides, sa marotte.

Vaillant s'est caché pendant quinze jours. Un matin, trois inspecteurs ont sauté sur lui, dans sa chambre d'hôtel, dans son lit même, et l'ont battu comme plâtre.

Et cet imbécile de Digoin, tout à l'heure, qui lui prenait le pouls en observant sa montre en argent !

1905... 1906...

Pour les gens, cela n'a été qu'une suite plus ou moins régulière d'articles dans les journaux.

« *Vaillant nie... Vaillant avoue... Vaillant passera aux Assises...* »

Puis des comptes rendus de plaidoirie.

« *... un jeune dévoyé qui n'a jamais connu les douceurs du foyer.* »

C'est vrai. Vaillant a été élevé par une vieille tante, car ses parents sont morts dans un accident de chemin de fer, sur la ligne de Bordeaux. Mais la vieille tante n'était pas plus mauvaise qu'une autre !

L'avocat général déclame :

« *... responsabilité d'autant plus grande que ce jeune homme a reçu une instruction soignée et que...* »

Dix ans de travaux forcés ! Mado, qui n'est pas mêlée au crime, n'est condamnée qu'à six mois pour complicité de chantage.

Il pleut à nouveau. On entend les gouttes tomber sur la feuille de zinc qui recouvre le poulailler. Mme Guillaume semble s'être assoupie.

Heureusement que les gens de La Rochelle ne se souviennent pas, car ils ont vu passer Vaillant avec les autres forçats, une couverture sur l'épaule, des sabots aux pieds, le sac au dos.

Et ils ne savent pas !... Personne ne sait !... Les cages du bateau !... Le voisin qui, le soir, pour amuser ses camarades, faisait des danses du ventre...

J.P.G. a mal partout. Depuis dix-huit ans, il a souvent entendu des gens parler du soleil des tropiques et il n'a rien dit. Il a lu des journaux qui parlaient du bagne...

Il a une petite villa propre, coquette, où il entre autant de soleil que possible. Il y a des draps blancs et des nappes plein une armoire. Il y a des fleurs dans des pots, des poules au fond du jardinet, des gravures de La Rochelle sur les murs.

— Tu ne nous parles jamais de tes parents, lui a dit un jour sa fille.

Lesquels ? Les vrais ? Ils sont morts quand il avait cinq ans. Quant aux parents Guillaume, il ne sait pas qui cela peut être, s'ils existent ! D'après les papiers, il est né dans le Jura, mais il n'y a jamais mis les pieds.

Il est resté deux ans en Guyane. Un jour, deux forçats ont risqué la belle et Vaillant leur a dit :

— Si vous arrivez à Paris et que vous retrouvez une certaine Mado, qui est une belle fille blonde, dites-lui qu'elle essaie de me faire sortir.

Il y avait une chance sur mille. D'ailleurs, un des deux hommes est mort en route. L'autre est arrivé à bon port. Comment a-t-il fait pour retrouver Mado ? Six mois plus tard, Vaillant recevait le *plan*, c'est-à-dire l'argent nécessaire à l'évasion.

Et ce crétin de Vial qui gueulait comme une bête qu'on égorge parce qu'on le secouait un peu !

Il vaut mieux ne pas penser à la forêt vierge, aux premières heures passées au Venezuela, aux lettres écrites à Mado pour la supplier d'envoyer encore un peu d'argent.

— Tu dors ? questionne à nouveau sa femme.

Et il répond « oui » sans même y penser. Il est revenu à Marseille, par Gênes, en quatrième classe, sur le pont. Mado l'a attendu dans un hôtel du Vieux Port.

— Comme tu as changé ! a-t-elle dit.

Car elle n'avait pas changé, elle. Elle était toujours rose, parfumée, bien habillée. Le petit hôtel la dégoûtait et elle ne voulait pas se servir du verre à dent qu'elle ne trouvait pas assez propre.

— Je ne peux rester que quelques heures, parce que je suis avec un brasseur qui passe à Paris quatre jours par semaine. Il arrive demain soir. Je t'ai apporté des papiers…

Les papiers Guillaume !

Mais elle n'a pas d'argent, elle s'en excuse. Son brasseur lui donne tout ce qu'elle veut, sauf de l'argent liquide.

— Il vaut mieux que tu ne te montres pas à Paris. Tu m'écriras ce que tu fais, où tu es et j'irai te voir…

Cette nuit-là non plus, il n'a pas dormi. Mado a paru ennuyée de faire l'amour avec un homme qui n'avait pas pris de bain. Elle répétait :

— Laisse-moi dormir… Qu'est-ce que tu as ?… Je ne t'ai jamais vu ainsi…

Et, à quatre heures du matin, il est parti sur la pointe des pieds en emportant les trois bagues posées sur la table de nuit.

On lui en a donné deux mille francs. Il a acheté un complet, des chaussures. Il a d'abord vécu dans une pension de famille de Lyon, puis à Orléans, où il a cherché une place.

— Tu ne veux pas que j'appelle le docteur ?

Sa femme a fait soudain de la lumière et il la regarde avec des yeux égarés, car il ne reconnaît pas la chambre, ni même ce visage blafard et mou qui se penche sur lui.

— Tu es tout pâle… Il y a deux heures que tu t'agites…

Il est pâle ? Il aurait cru, au contraire, qu'il était cramoisi.

— Donne-moi un verre d'eau…, murmura-t-il.

— Tu ne te sens pas mal, au moins ?

Elle va, pieds nus, au cabinet de toilette pour chercher de l'eau fraîche. Elle lui tient le verre pendant qu'il boit. Il a presque envie de dire :

— Merci, madame !

Ou envie de pleurer. Ou...

Non ! Il ne sait plus. Il n'a envie de rien, sinon de ne plus penser pendant quelques heures, car cela pourrait finir par une catastrophe.

— Laisse-moi dormir...

Antoine, qui a dû entendre du bruit, se retourne dans son lit et on perçoit le grincement des ressorts.

Il pleut toujours sur le toit de zinc du poulailler et des rayures mouillées se dessinent sur les vitres : la même pluie très fluide et très longue, étirée par le vent, que l'après-midi, quand J.P.G. rôdait sur le port en se demandant s'il oserait entrer dans le petit restaurant de Mado.

IV

Il s'assoupit vers le matin et, quand il ouvrit les yeux, sa femme qui venait de se lever interceptait le soleil qu'elle empêchait d'atteindre l'oreiller.

— Tu comptes te lever ? demanda-t-elle.

— Pourquoi ne me lèverais-je pas ?

— Tu as eu une nuit agitée. Puisque tu ne vas pas au lycée…

Il l'avait oublié : il n'allait pas au lycée ; il n'avait rien à faire ! Et cette absence d'horaire donna aux premières heures de la matinée une saveur extraordinaire.

Car ce n'était pas un jour de congé non plus. On entendait Antoine qui achevait en hâte sa toilette et qui allait partir.

C'était un jour échappé à la chaîne des jours, un jour que J.P.G. pouvait vivre autrement que les autres.

Par exemple, en dix-huit ans, il n'était pas descendu une seule fois, sauf quand il avait son angine annuelle, sans être habillé. Il était strictement interdit aux enfants de le faire. Seule Mme Guillaume avait le droit de traîner dans la maison en peignoir et en pantoufles de feutre, les cheveux sur des épingles.

Eh bien, J.P.G., ce matin-là, se contenta de passer un pantalon sur la chemise de la veille, de chausser des mules et de se donner un coup de peigne.

Tel quel, il descendit dans la salle à manger et, quand il se tint debout à l'entrée du jardin, il avait l'air, avec sa chemise blanche qui ruisselait de soleil, d'un ouvrier savourant le dimanche matin dans un pavillon de banlieue.

Sa femme n'osa rien dire. Antoine trempait son pain dans son café au lait en épiant l'horloge.

J.P.G. était éreinté comme après une nuit de bombe, mais le vide même de sa tête et de ses membres n'était pas sans charme. Ne pouvait-on pas le prendre pour un malade, ou plutôt pour un convalescent ?

Antoine partit et son père se trouva un peu plus dérouté, car il n'avait plus rien à faire dans la maison.

— Où veux-tu te tenir ? lui demanda Hélène à qui, au printemps, naissaient des taches de rousseur.

— Je ne comprends pas.

— C'est qu'ici je dois nettoyer…

En effet, elle posait les chaises sur la table, qu'elle poussait contre le mur. On sonna et J.P.G. sursauta. Les deux femmes, elles, savaient que c'était le laitier. La monnaie était prête sur la cheminée et Mme Guillaume alla tranquillement ouvrir.

L'air était limpide. Toutes les portes et fenêtres de la maison étaient ouvertes et on sentait la fraîcheur courir sur la peau. Dans le jardin, du linge séchait au soleil. Les bruits du port arrivaient avec une netteté remarquable cependant que J.P.G. allait et venait, entrait dans la cuisine, dans la buanderie, s'asseyait un moment dans la cour, passait dans le salon.

Il était beaucoup plus calme que la veille. Il s'étonnait même de s'être mis dans un tel état.

Qu'est-ce que cela pouvait faire que Mado fût à La Rochelle ? Elle ne le rencontrerait sans doute pas. Si même elle le reconnaissait, avait-elle un intérêt quelconque à le faire prendre ?

Elle ne resterait vraisemblablement pas longtemps. J.P.G. avait mené jadis la même vie errante : on va de ville en ville sans attraper de situation stable ; on bricole ; on gagne de quoi manger puis, un jour, quelqu'un vous dit qu'il y a du meilleur travail dans la ville suivante et on boucle sa valise.

Rue du Palais, on devait aussi nettoyer le salon de coiffure. J.P.G. était déjà allé très tôt matin se faire couper les cheveux et il avait vu les garçons faire la toilette du magasin.

Est-ce que Mado. balayait, astiquait les miroirs et les instruments nickelés rangés sur le marbre ?

Hélène travaillait vite, avec des mouvements précis et de la gaieté dans les yeux.

Mme Guillaume, elle, ne quittait guère les chambres du premier de toute la matinée. On l'entendait circuler. Parfois on l'apercevait à une fenêtre ou bien, du palier, elle criait :

— Hélène ! N'oublie pas de mettre les haricots à tremper.

— Hélène, monte-moi la brosse à habits.

J.P.G. avait d'abord assisté avec un léger sourire à cette vie qu'il n'avait jamais aussi bien surprise. C'était chez lui, dans sa maison ! C'était sa famille ! Sa femme ! Sa fille !

Mais peu à peu un malaise très subtil, très vague, le prenait, l'envahissait.

Hélène vint jeter le marc de café dans la poubelle qui était dans la cour. Un instant l'odeur surprit J.P.G. et il pensa sans le vouloir à l'Exposition de Liège.

Il savait pourquoi. Il y avait là-bas un grand torréfacteur et, dans un rayon de cent mètres, régnait toujours une forte odeur de café.

C'était près de la Meuse, près des gondoles en location.

Il commença à s'énerver. L'œil fixé sur les poules orpington, il revit le minotier d'une cinquantaine d'années, aux larges épaules, à la poitrine formidable, qui tombait soudain en se tenant le ventre à deux mains.

Boyer ! Il s'appelait Boyer ! Son prénom était un prénom ridicule, quelque chose comme Isidore, mais J.P.G. ne s'en souvenait pas.

Mado avait été extraordinaire, puisqu'elle avait eu le sang-froid de lui fermer les yeux.

— C'est moins tragique, avait-elle remarqué.

Ce matin-là, J.P.G. aurait dû faire la classe aux troisièmes. C'était agréable, car c'était une des classes du premier étage, très grande, très gaie, donnant sur les maisons.

— Tu ne t'habilles pas ? Je voudrais qu'on puisse faire le cabinet de toilette, dit Mme Guillaume.

Tant pis pour elle ! Il aurait peut-être erré dans la maison toute la matinée. Mais il fit sa toilette. Il ouvrit le tiroir de la commode qui lui était réservé et où son linge et ses effets personnels étaient rangés.

À gauche, sur les deux chemises d'habit, étaient posés les gants de peau blanche. À droite s'étiraient les cravates, la plupart montées sur appareil. Or, voilà que J.P.G. en apercevait une qu'il avait oubliée, une cravate-plastron mauve et noire.

Elle ne datait pas d'*avant*, certes, puisqu'il n'avait rien gardé de cette époque. Mais elle datait de tout de suite après. Et c'était le genre de cravates qu'il portait avec son pardessus mastic et son canotier.

Il l'essaya. Quand sa femme entra dans la chambre, elle s'étonna :

— Tu mets cette vieille cravate ?

— Pourquoi pas ?

— Cela ne se porte plus.

— Ça m'est égal.

Il eut même, mais seulement en tête à tête avec son reflet dans le miroir, une façon de tirer ses cheveux sur les joues qui rappelait les favoris, ou plutôt les « côtelettes », ainsi qu'on disait dans le temps.

— Tu sors ?

— Je ne sais pas encore.

Ou plutôt il savait qu'il sortirait, mais il ignorait sous quel prétexte. Il savait aussi qu'il ferait quelque chose, sans préciser quoi. Il ne tenait pas en place. L'impatience agitait ses longs doigts.

Le hasard favorisa son départ, car on sonna à nouveau et, par la fenêtre, il vit la grosse tête rousse du surveillant, lequel remit une lettre à

Hélène. Hélène la lui apporta. C'était un mot du proviseur qui lui demandait de passer le plus tôt possible à son cabinet.

— J'y vais maintenant ! annonça-t-il.

Il n'était pas le moins du monde impressionné. Au contraire ! Son attitude était celle d'un homme sûr de lui, qui va remporter une victoire.

— Seulement, je ne passerai pas rue du Palais…

Il tint parole et prit par la rue de l'Escale. Place d'Armes, il jeta un coup d'œil dans la pénombre odorante du Café de la Paix, résista à l'envie d'y entrer et d'y avaler un pernod.

Quand il arriva dans le cabinet du proviseur, il n'en était pas moins surexcité comme s'il eût bu. Dans ces cas-là, ses lèvres devenaient aussi rouges que des lèvres de femme, son teint s'animait et ses yeux étaient trop brillants, jusqu'à donner une impression de gêne.

— Entrez, monsieur Guillaume.

Il referma la porte vitrée avec assurance et se tint droit à côté du bureau. Le proviseur remarqua la cravate et il y eut un éclair de surprise dans ses prunelles.

— J'ai pensé qu'il valait mieux liquider au plus tôt le pénible incident d'hier. J'ai donc fait venir le père de l'enfant qui, m'avait-on dit, était très en colère.

Le proviseur observa à nouveau J.P.G. et parvint à continuer d'une voix égale, non sans qu'un malaise se manifestât dans son attitude. Il n'aurait pu en préciser la cause. Il sentait confusément quelque chose d'équivoque dans l'attitude du professeur et, désormaïs, tout en parlant, il ne cessa de le regarder à la dérobée.

— Les choses se sont arrangées, monsieur Vial, qui est un honnête homme et un homme raisonnable, demande seulement que vous alliez lui présenter des excuses. C'est trop naturel et j'ai promis en votre nom comme au mien.

Peut-être le proviseur s'attendait-il à de la résistance ? Au contraire, J.P.G. sourit, approuva de la tête.

— Vous êtes d'accord ?

— Pleinement d'accord.

Or, il disait cela comme s'il eût persiflé. Il souriait ! Il paraissait ravi !

— Dans ce cas je n'ai rien à ajouter, sinon que j'espère ne pas voir pareils incidents se renouveler. J'ai mis votre geste sur le compte de contrariétés intimes…

J.P.G. sourit encore.

— Vendredi, vous reprendrez votre place au lycée et vous éviterez devant vos élèves toute allusion à ce qui s'est passé.

J.P.G. approuva de la tête, salua et sortit, son chapeau melon à la main, le corps raide comme d'habitude, traversa la cour pavée de rose et gagna la porte des professeurs.

Il savait fort bien qu'au même moment le proviseur se demandait s'il était ivre. Or, il n'avait bu que du café au lait ! En passant devant le Café de la Paix, il fut tenté à nouveau mais il résista une fois encore. C'était une volupté de se refuser une satisfaction, une volupté aussi de pousser la porte de l'encadreur et de déclencher la sonnerie.

Dans le magasin, M. Vial, en blouse grise, était en conversation avec une cliente qui lui apportait des aquarelles à mettre sous verre. À l'arrivée de J.P.G., il feignit d'être assez pris par l'examen des aquarelles pour ne pas reconnaître le nouveau venu.

J.P.G. pouvait attendre. Rien ne l'obligeait à parler tout de suite, surtout devant une étrangère.

Et pourtant c'est ce qu'il fit, comme à plaisir. Il retira son chapeau d'un geste solennel, s'inclina devant Vial.

— Monsieur Vial, dit-il en détachant toutes les syllabes, je viens vous présenter des excuses pour les brutalités que j'ai fait subir à votre fils Ernest. Je suis son professeur d'allemand. J'ajoute que votre fils est le meilleur élève qui se puisse trouver et que je regrette l'incident.

La femme s'était tournée vers lui et ne savait

plus où poser son regard. M. Vial, une aquarelle à la main, cherchait une réponse, plus ennuyé que fier. Quant à J.P.G., il s'inclinait à nouveau et se dirigeait vers la porte, ouvrait celle-ci, la refermait derrière lui et s'éloignait le long du trottoir.

C'était jour de marché et le centre de la ville grouillait de monde. J.P.G. était tout près de la Tour de l'Horloge à laquelle il regarda l'heure mais il oublia de dire bonjour à l'agent.

— Pourquoi pas ? dit-il soudain à mi-voix. Une idée lui était soudain venue à l'esprit et il l'adoptait aussitôt, il la mettait à exécution sans réfléchir ou plutôt en sachant bien que c'était une idée loufoque.

Il n'avait jamais été autant J.P.G. de la tête aux pieds. Il tenait la tête droite sous le melon posé trop en avant. Il marchait les jambes raides. Il ne regardait ni à droite ni à gauche.

Comme un automate, il poussa la porte du salon de coiffure et personne ne pouvait remarquer qu'il avait la poitrine serrée, si serrée, qu'il fut un bon moment incapable de parler. Il mit du temps à accrocher son chapeau à la patère et à choisir un des fauteuils articulés.

Il essayait de voir Mado, mais elle n'était pas dans le salon des hommes.

— C'est pour une coupe ? demanda le garçon.

— Une coupe, oui.

Il faillit ajouter :

— Et vous m'enverrez la manucure.

Mais il ne le fit pas. On lui mit un peignoir, puis une serviette autour du cou et il n'y eut plus que sa tête à émerger des linges blancs.

La glace était-elle mauvaise ? En tout cas, il eut pour la première fois l'impression que son visage était asymétrique, que le nez n'était pas rigoureusement au milieu, que les moustaches ne barraient pas la figure selon une horizontale parfaite.

— Assez court ?

— Si vous voulez.

Il se regardait de ses gros yeux et il pensait :

— D'un moment à l'autre, Mado entrera et me verra. Me reconnaîtra-t-elle ?

Il avait moins changé qu'elle. Il avait toujours eu les cheveux drus et les sourcils très fournis. Le plus grand changement consistait dans les moustaches, mais une femme ne s'y laisse pas tromper. D'ailleurs ce que Mado aimait en lui, c'étaient les yeux.

— C'est un crime de donner des yeux pareils à un homme, disait-elle souvent. Ce sont des yeux de femme, « des yeux de velours »...

Et J.P.G. les contemplait gravement pendant que le coiffeur lui peignait les cheveux à rebrousse-poil.

Quelqu'un ferma la porte que J.P.G. avait laissée ouverte et les bruits de la rue s'atténuèrent en même temps que semblaient naître des bruits nouveaux qui, eux, venaient de la maison.

Entre le salon des hommes et les petites loges des femmes, il n'y avait pas de mur mais une simple cloison qui ne montait pas jusqu'au plafond. Derrière cette cloison des ciseaux cliquetaient. Quelqu'un se faisait couper les cheveux. Une voix que J.P.G. ne connaissait pas disait :

— Je trouve cela vraiment trop vulgaire. Ma bonne elle-même, le dimanche, se teint les ongles en rouge.

J.P.G. attendit, les yeux gonflés, et une autre voix répondit posément :

— Les ongles argentés ne se portent guère que le soir, mais Antoine a créé une teinte intermédiaire, irisée. Voulez-vous que je vous l'essaie ?

C'était Mado ! Mado assise près d'une cliente, avec son guéridon de manucure, la coupe de verre pleine d'eau savonneuse et tiède, les petits bâtons de bois et les instruments nickelés. Pendant qu'elle parlait, les ciseaux s'ouvraient et se refermaient toujours en crissant et on devinait le coiffeur tournant autour de la cliente cependant que la manucure restait immobile.

— Cela s'enlève facilement ?

Mais en même temps l'imbécile qui s'occupait de J.P.G. éprouvait le besoin de proposer :

— Vous voulez un journal du jour ? Vous préférez un illustré ?

Il fit non de la tête et on lui posa quand même sur les genoux un magazine sur la couverture duquel s'étalaient des femmes nues, d'un rose fondant.

J.P.G. avait beau tendre l'oreille : il n'entendait plus rien, sinon les ciseaux. Puis ce fut la cliente qui dit :

— Que me conseillez-vous pour avoir les mains blanches ? J'ai essayé la crème de concombre, mais elle ne donne aucun résultat…

J.P.G. bougea la tête pour mieux entendre et, comme par hasard, un paysan entra, resta debout un instant sur le seuil.

— Je reviendrai ! déclara-t-il en voyant le coiffeur occupé.

— Mais non ! Asseyez-vous. J'en ai pour trois minutes…

Le paysan hésita, fit du bruit, s'assit enfin.

À nouveau, de l'autre côté de la cloison, on se taisait.

Et maintenant J.P.G. était en proie à une panique intense. Il se demandait comment il avait pu entrer, s'asseoir dans ce fauteuil où il était littéralement prisonnier.

Si Mado allait entrer ?

Il toussota ; des cheveux lui tombaient sur les joues et le chatouillaient. Le coiffeur, de temps en temps, lui relevait le menton d'un geste doux, mais ferme.

— Très dégagé dans le cou ?

— Oui… Je suis pressé…

Il parlait bas, de crainte que Mado reconnût sa voix. Et maintenant le paysan commençait à parler comme si on le lui eût demandé :

— Vous croyez que le conseil municipal va voter les crédits pour la nouvelle avenue de la Gare ?

— On le dit…, fit le coiffeur penché sur la nuque de J.P.G.

— Dans ce cas, on pourrait tout au moins exiger que les entrepreneurs soient du pays. Il paraît qu'il en est venu de Saintes et même de Bordeaux pour soumissionner…

Le coiffeur adressa une œillade à J.P.G. et lui souffla un peu plus tard :

— Il est marchand de matériaux à Marans.

Il y avait trop de bruits à la fois. J.P.G. ne parvenait plus à concentrer son attention. Les sons du salon voisin ne lui arrivaient que tellement mélangés à d'autres qu'il ne pouvait les démêler.

Parfois, pourtant, il croyait reconnaître la voix de Mado. Il faillit demander qu'on fermât la porte afin d'étouffer le vacarme de la rue.

Dans le miroir, il apercevait la caisse qui se trouvait dans l'entrée et qui servait pour tous les salons. Il y eut une chaise remuée à côté. Quelqu'un se leva. On entendit des pas. Et J.P.G. les suivit en pensée dans le dédale des locaux qu'il ne connaissait pas. Il sentait qu'ils aboutiraient à la caisse.

En effet, une forme blanche se dessina dans le miroir, c'était Mado, qui s'accoudait à la caisse et annonçait :

— Dix francs de manucure. Huit francs de Cutex. Une botte de bâtonnets… C'est à trois francs, n'est-ce pas ?

— Trois cinquante…

Elle tournait le dos. J.P.G. voyait ses cheveux, sa nuque. Il se tenait à deux mains au bras de son fauteuil et sa pose était telle que le coiffeur dut attendre qu'il se remît en place.

Mado ne disparaissait pas encore. Elle jeta un coup d'œil indifférent au salon des hommes et gagna le seuil où elle resta un instant à aspirer l'air et le soleil.

Enfin elle rentra en fredonnant, passa une fois de plus devant la caisse et disparut dans des régions inconnues de la maison.

Le coiffeur tenait une glace derrière la nuque de J.P.G. pour le faire juge de son travail.

— C'est bien.

— Je vous fais une friction ?

— Non.

Il avait hâte de partir. Il ne tenait plus en place. Il ne comprenait même plus par quelle aberration il était venu là. Le paysan, en homme pratique, s'était déjà levé, retirait son veston et disait :

— Les cheveux et la barbe.

On brossait les épaules de J.P.G., qui fouillait son gousset pour y prendre de la monnaie.

Il sortit en marchant de travers, comme un crabe, et il se heurta au chambranle de la porte. Dans la rue, il pressa tellement le pas qu'il avait l'air de courir.

Il ne savait pas où il allait. Il s'éloignait. Il n'osait pas se retourner.

Quand il s'arrêta pour reprendre haleine, il était place d'Armes où les chauffeurs des taxis en stationnement jouaient au bouchon dans un triangle de soleil. Il y avait un mariage. Des curieux faisaient la haie sur le perron de l'église et une dizaine de voitures se suivaient au pas, s'arrêtaient l'une après l'autre pour laisser descendre les gens du cortège.

Sur le seuil du Café de la Paix, un garçon regardait, de loin, sa serviette à la main.

Cette fois, J.P.G. ne résista pas à la tentation. Il entra. Il marcha droit vers la table qu'il avait occupée la veille et tout naturellement commanda un pernod.

La place était bonne. On dominait à la fois la salle du café et la place d'Armes. Le pernod donnait aux moustaches de J.P.G. une odeur spéciale qu'il reniflait à chaque instant.

Il tremblait encore un peu, comme un homme qui vient d'échapper à un accident. Et, chose curieuse, ce n'était pas une sensation désagréable.

— Elle aurait pu entrer dans le salon des hommes ! songeait-il.

Cela le fouettait d'avoir frôlé le danger de si près. Puis il fronça les sourcils et regarda fixement les joueurs de bouchon, car il venait d'avoir la vision du minotier qui tombait en se tenant le ventre à deux mains.

Pour y échapper, il se contraignit à détailler les joueurs l'un après l'autre mais il resta quand même sur l'impression désagréable de ce Boyer dont le nom lui-même lui revenait sans cesse à la mémoire.

Il se demandait bien pourquoi, d'ailleurs, puisque pendant dix-huit ans il y avait si peu pensé que le matin il avait dû faire un effort pour retrouver le prénom et qu'il n'était même pas sûr que ce fût Isidore !

V

C'était le mercredi soir. J.P.G. ne devait reprendre ses cours que le vendredi et il avait beaucoup marché, tout seul, en ville et hors de la ville. Au Café de la Paix, il avait bu ses deux pernods, car c'était déjà une habitude : il en prenait deux le matin et deux l'après-midi.

Enfin, il avait acheté des cigarettes. Il y avait dix-huit ans et plus qu'il ne fumait pas. En sortant du café, il avait pensé à l'appartement de Mado, jadis, au Grand Hôtel et des détails lui étaient revenus à la mémoire, comme l'oreiller aux trois volants de dentelles qui ressemblait à une fleur blanche et mousseuse.

Il n'avait jamais revu de lit aussi bas, aussi large. Le satin de la couverture était d'un rose assourdi.

Le matin, appuyé sur un coude, son torse nu émergeant des draps, il regardait Mado qui prenait son petit déjeuner et, comme il ne mangeait pas, il fumait des cigarettes. Le cendrier était à portée de son bras, sur la table de nuit. Les cigarettes avaient des bouts dorés...

Comme il y pensait, J.P.G. passait, place d'Armes, en face du bureau de tabac. Dans la vitrine, il y avait des cigarettes « Murati », en boîte de métal rouge et or, celles-là mêmes qu'il fumait autrefois.

C'est pourquoi il en avait acheté et maintenant il fumait en rentrant chez lui, dans le crépuscule. Ses pensées avaient la même mollesse que les arbres du parc dont les contours se fondaient dans la buée du soir.

Il faillit ne s'apercevoir de rien. Il marchait comme un automate, suivant un chemin qu'il avait suivi des milliers de fois. Il allait atteindre son seuil. Il restait peut-être cinquante mètres à parcourir. D'autres pas résonnaient dans la rue, ceux d'un jeune homme qui précédait J.P.G.

Quand le jeune homme fut à hauteur de la villa, il marqua un temps d'arrêt, se baissa, s'accroupit plutôt, et glissa quelque chose de blanc dans le soupirail. C'est même le blanc, plus blanc dans la pénombre, qui attira l'attention de J.P.G.

Les fenêtres étaient éclairées et on n'avait pas encore fermé les persiennes. Tandis que le jeune homme s'éloignait, J.P.G. introduisait sa clef dans la serrure, pénétrait dans le corridor et se débarrassait de son chapeau.

Il avait oublié de jeter sa cigarette qui n'était consumée qu'à moitié. Ce fut ce que sa femme remarqua en premier lieu quand il entra dans la salle à manger.

— Tu fumes ? dit-elle simplement.

Il mentit, sans même savoir pourquoi.

— On m'a donné une cigarette.

Le dîner était servi. Hélène apportait la soupière et J.P.G. remarqua que sa fille avait le teint rose, l'air animé.

— Je reviens tout de suite ! annonça-t-il.

— Où vas-tu ?

Il avait déjà ouvert la porte de la cave. Il frotta une allumette, se dirigea vers le soupirail et trouva sur le tas de charbon une lettre qu'il mit dans sa poche.

— Où es-tu allé ? insista sa femme.

— Nulle part !

Il ne regardait pas Hélène, qu'il sentait anxieuse. Elle s'était servie de la soupe mais ne mangeait pas, attendant que son père fût servi à son tour.

Il se leva encore. Cela lui importait peu qu'on le trouvât bizarre. Il monta dans sa chambre, déchira l'enveloppe qui ne portait pas d'adresse et lut :

« Ma petite femme chérie, ma toute, ma mienne,

« Depuis dimanche, j'ai sans cesse envie de chanter, de rire et de pleurer à la fois. Partout j'écris la même date, qui restera la plus importante de ma vie. Dix fois par jour, je passe devant chez toi, rageant de ne pouvoir t'étreindre à nouveau, me demandant si tu es heureuse, si tu ne regrettes rien, si... »

J.P.G. replia la lettre, la glissa dans sa poche et descendit. Hélène n'osait pas le regarder. Elle s'attendait à lui voir un visage sévère, à entendre des reproches, mais son père se servait tranquillement et commençait à manger.

Il devait faire un effort pour se souvenir des détails du dimanche précédent qui lui semblait déjà très lointain. Il n'avait pas quitté la maison, sauf le matin pour aller à la messe. L'après-midi, il avait corrigé des compositions, non seulement les siennes, mais celles d'un collègue malade.

Hélène était partie avec deux amies pour une excursion dans la forêt de Benon.

Petit à petit, J.P.G. risquait vers elle de brefs coups d'œil et il la trouvait plus rose que jamais. Ses bras nus étaient roses aussi, d'une belle manière drue et saine.

En face d'elle, Antoine faisait figure de gamin malingre et fourbe. Il n'avait pas le même regard limpide et droit. Il ne rougissait pas comme sa sœur, mais détournait les yeux quand on l'observait.

Hélène avait envie de pleurer. Deux fois, elle avala de travers, toussa dans sa serviette. Elle devait faire un effort inouï pour tenir bon et rester à table quand même.

Si seulement J.P.G. avait pu lui rendre la lettre ! Mais c'était difficile, c'était délicat, surtout que désormais la journée se terminerait dans la salle à manger où tout le monde était réuni.

Il se leva soudain.

— Je reviens, balbutia-t-il.

Qu'est-ce que cela pouvait lui faire que sa femme le suivît d'un regard inquiet ? Elle le regardait toujours comme ça, maintenant, comme si elle eût cherché chez lui les symptômes d'une grave maladie.

Il monta l'escalier plus légèrement que d'habitude, prit une enveloppe dans le tiroir de la commode et y enferma le billet. L'instant d'après il traversait le corridor, ouvrait la porte d'entrée et glissait lui-même la lettre dans le soupirail.

— Qu'est-ce que tu fais ? cria sa femme.

— Je prenais l'air... Je reviens...

Il était frémissant comme s'il eût été un des acteurs de cette histoire d'amour. Pourtant, sa découverte ne lui faisait pas plaisir. Elle ne l'accablait pas non plus comme il l'aurait cru. Il essaya même d'accrocher le regard de sa fille en donnant à sa physionomie une expression bienveillante. Comprit-elle ?

Hélène, en tout cas, n'osa pas descendre à la cave. Elle lava la vaisselle. Vers dix heures, comme d'habitude, tout le monde alla se coucher.

Elle n'aurait sa lettre que le matin, car elle descendait la première et J.P.G. l'imaginait, seule dans la cuisine ensoleillée, le corps encore moite de la nuit, lisant la lettre de l'amoureux...

Au fait, qui était-il ? J.P.G. n'avait pas pensé à le suivre, à presser le pas, à le dépasser pour le regarder.

Quand, par exemple, il achetait une paire de chaussures, il ne s'inquiétait pas de savoir si elles étaient élégantes. C'étaient toujours des chaussures en cuir noir, solides, et il les prenait grandes pour n'avoir pas mal aux pieds.

Invariablement il pensait que là-bas en Guyane où il allait pieds nus, des chaînes aux chevilles, il aurait donné cinq ans de sa vie pour de pareils souliers.

Pendant dix-huit ans, toutes ses idées, tous ses faits et gestes s'étaient rapportés aux mêmes souvenirs.

Ce qui s'était passé avant, les histoires avec Polti, celles de l'Exposition de Liège, et même le procès s'étaient effacés de sa mémoire.

Au bagne il avait eu faim, il avait eu soif, il avait souffert dans sa chair, reçu des coups.

Une seule fois il avait battu Antoine et c'était parce que, refusant de manger un sandwich au jambon, le gamin l'avait glissé subrepticement dans la poubelle. Un sandwich au jambon ! Lui seul pouvait comprendre !

Là-bas, il rêvait sans y croire :

— Avoir une vraie maison, dans une petite ville de province…

Il avait choisi la province ; il s'était obstiné à acheter une maison.

— Avoir une femme à soi, des gosses…

Il avait une femme et deux enfants !

— Se promener lentement, le dimanche matin, dans les rues presque vides…

Il le faisait tous les dimanches en revenant de la messe.

Un jour, le dentiste lui avait endormi la gencive pour lui arracher une dent et il avait fermé les yeux en pensant aux chiques grosses comme des noisettes qu'on se tirait du pied avec un caillou coupant. Car cela faisait un trou et non une plaie !

Ça, c'était sa vie à lui, que personne ne pouvait deviner. Sa nouvelle vie avait duré dix-huit ans sans qu'un instant il se fût demandé s'il était heureux ou non.

Brusquement, tout était changé. Depuis qu'il avait aperçu Mado rue du Palais, il ne pensait plus aux années de bagne. D'autres souvenirs, qu'il croyait effacés, lui revenaient à la mémoire.

Ou plutôt, c'étaient d'étranges bouffées, des odeurs, des sons, des sensations confuses qui n'amenaient que peu à peu des images précises.

Ainsi pour la cigarette…

Dans son lit, au lieu de s'endormir, il sentait son doigt qui avait tenu le rouleau de tabac et qui s'en était parfumé. Autrefois, son index était toujours couleur d'ambre.

Il revoyait l'oreiller et ses dentelles, les autres détails de la chambre, les mules bleues de Mado…

— Lace mon corset…, disait-elle.

Mado avait la passion des dessous de soie noire qui faisaient ressortir la blancheur de sa peau. Le corset serré, la poitrine devenait un nid douillet, les seins avaient l'air de deux choses précieuses qu'on avait mises à l'abri.

J.P.G. ne s'endormit pas, mais son insomnie n'était pas angoissée. Parfois des images de sa fille se superposaient à celles de Mado et il les repoussait.

Hélène ne devait pas dormir. Tout ce qu'il

pouvait faire pour elle, c'était feindre de ne pas savoir. Elle n'en serait pas dupe, mais elle comprendrait.

Comprendrait-elle vraiment ? En tout cas, il ne pouvait pas lui parler de cela !

Se femme dormait, un bras sur l'oreiller comme elle avait l'habitude de le faire. La nuit était chaude. Il était rare que le roulement d'une auto vînt en troubler le silence.

Mado, maintenant, vivait avec un ancien chauffeur qui était plus âgé qu'elle et qui vendait des fromages. À eux deux, ils ne devaient pas gagner beaucoup d'argent. La preuve, c'est qu'ils habitaient dans un des meublés les plus miteux de la ville.

Boulevard des Capucines, elle avait trois pièces dont les fenêtres s'ouvraient en partie sur la place de l'Opéra. J.P.G. s'en souvenait d'autant mieux qu'il y avait eu un cortège, un jour, et qu'il était avec Mado sur le balcon, comme aux premières loges. C'était en l'honneur d'un souverain étranger, le shah de Perse ou un sultan. Des chevaux blancs caracolaient autour des landaus officiels d'où émergeaient des huit-reflets.

Il s'assoupit, s'éveilla en sursaut, mal à l'aise parce que, à travers son sommeil, la notion des bagues l'atteignit, les bagues qu'il avait prises à Mado et revendues deux mille francs.

Il n'y avait qu'une chose à faire : lui renvoyer l'argent !

Les yeux ouverts, il y pensa longtemps. C'était compliqué, car Mme Guillaume tenait la caisse. Mais ils avaient de l'argent à la banque et là, du moins, il pourrait y toucher.

Une autre pensée se greffa sur celle-là.

— Deux mille francs avant la guerre, cela représente au moins dix mille francs maintenant…

Il ne pouvait entrer dans ces considérations-là. Il n'était pas assez riche. Pour retirer dix mille francs de la banque, il aurait fallu revendre des titres et ceux-ci étaient au nom de sa femme.

Si déjà il rendait les deux mille francs, ce serait beau !

Il s'endormit, ne se réveilla plus que le matin, alors que Mme Guillaume était occupée à peigner ses cheveux qui devenaient gris.

Contrairement aux jours précédents, il s'habilla aussitôt. C'est en s'habillant qu'il pensa à Hélène et il eut hâte de descendre pour la voir.

Elle était en plein travail et elle s'étonna que son père l'embrassât plus fort que de coutume, en lui serrant les épaules entre ses mains.

— Tu es contente ? demanda-t-il malgré lui.

Elle n'osa pas répondre. Elle n'était pas sûre de l'allusion. Mais il savait fort bien qu'elle était descendue à la cave, qu'elle avait lu la lettre, qu'elle épiait son père avec angoisse.

C'est pour elle qu'il feignit d'être de bonne humeur. Feignait-il tant que cela ? Il mangeait son pain et son beurre, buvait son chocolat, car on avait pris l'habitude, pour les enfants, de boire du chocolat le matin.

Machinalement, il alluma une cigarette et le regard de sa femme se porta sur la boîte rouge et or.

Il comprit. Il lui avait raconté la veille qu'on lui avait donné une cigarette. Il venait donc de se trahir.

Et après ? N'avait-il pas le droit d'acheter des cigarettes ?

D'ailleurs, c'était sans importance. Tout lui semblait sans importance. Certaines choses seulement comptaient, comme de rendre au plus tôt les deux mille francs à Mado.

Antoine était déjà parti à l'école. En sortant, vers neuf heures, J.P.G. éprouva le besoin d'embrasser une seconde fois sa fille, qui en fut d'autant plus gênée que sa mère l'observait.

Il s'en rendit compte. Il se rendait compte de tout. Il n'en vivait pas moins dans l'irréel. Sa femme n'y comprenait rien ! Et il ne pouvait quand même pas lui donner d'explications !

Elle ne l'avait jamais compris, ni personne ! Quand il avait sa tête en bois, avec ses gros yeux farouches, ses moustaches cirées et sa démarche d'automate, est-ce que quelqu'un s'était demandé pourquoi il était ainsi ?

Eh bien ! maintenant, il était devenu plus léger. Il y avait même déjà gagné quelque chose. Car, des années durant, il avait vécu dans sa famille sans la connaître. Depuis la veille, il connaissait tout au moins Hélène et il en était aussi ému qu'un amoureux.

Avec Antoine, il n'y avait rien à faire. J.P.G. était persuadé que c'était un crétin. Quant à sa femme, cela n'avait aucune importance...

Il marchait vers la banque. À mesure qu'il en approchait, il était un peu plus ennuyé parce que c'était la première fois qu'il venait retirer de l'argent et l'employé qui le connaissait ne manquerait pas de s'étonner.

Il arriva tout juste pour l'ouverture et s'approcha du guichet. La laitier, qui était occupé à changer un billet de mille francs, souleva sa casquette sans que J.P.G. y prît garde.

— Je voudrais retirer deux mille francs de mon compte.

On lui fit signer un chèque. Le caissier lui tendit les deux billets bleus. Et J.P.G. se sentit déjà soulagé. Sans réfléchir, il marcha vers le bureau de poste. Sa première idée avait été d'envoyer un mandat à Mado.

Mais, là aussi, les employés le connaissaient.

Au surplus, sur un mandat, ne doit-on pas mettre son nom et son adresse ? Il n'en était pas sûr. Le hall de la poste l'impressionnait et il échoua place d'Armes où il prit sa place dans l'angle du Café de la Paix.

À l'idée que le lendemain, à la même heure, il serait au lycée, il apprécia le bonheur d'être là, dans la grande salle au plancher couvert de sciure de bois. On rentrait de la bière. Au bord du trottoir étaient arrêtés deux gros chevaux de brasseur à crinière blonde comme du houblon et un homme au torse de lutteur faisait rouler les tonneaux jusqu'à la trappe de la cave.

— Garçon ! Donnez-moi une enveloppe.

Il y plaça les deux billets de mille francs. Quand il eut bu le second pernod, il appela à nouveau le garçon.

— Voulez-vous porter cette lettre à Mme Mado, la manucure qui travaille au salon de coiffure de la rue du Palais ?

— Il y a une réponse ?

— Non. Attendez ! Si on vous demandait quelque chose, dites que vous ne connaissez pas le client qui vous a remis la lettre.

Il était fébrile et joyeux, avec un reste d'angoisse dans la poitrine. Il avait la quasi-certitude qu'il faisait une bêtise. Il se sentait sur une pente, comme les tonneaux qui roulaient lentement vers le fond de la cave.

Il éprouva même le besoin de suivre le garçon de loin dans la rue du Palais. Il le vit entrer dans la boutique mauve et en ressortir quelques instants après. Presque aussitôt, la forme blanche de Mado se profila sur le seuil et la manucure regarda à gauche et à droite, étonnée, cherchant à deviner qui avait pu lui envoyer deux mille francs.

— Tant pis ! se répétait J.P.G., sans savoir à quoi ces mots se rapportaient.

Il alluma une cigarette. Le geste lui revenait, familier, aisé. Il eut envie d'un briquet, en acheta un que le marchand lui emplit de benzine.

À midi, quand il rentra déjeuner, il lui sembla que quelque chose n'allait pas dans la maison. Hélène était plus inquiète que le matin. Quant à Mme Guillaume, elle évita d'adresser la parole à son mari, ou plutôt elle se contenta de demander :

— Tu sors cet après-midi ?

— Qu'est-ce que je ferais d'autre ?

Il avait vécu dix-huit ans pour ainsi dire sans sortir. Il ne remarqua pas que sa femme était habillée, elle aussi, pour aller en ville.

Il avait hâte d'être seul, de marcher, de s'asseoir au café, de laisser errer sa pensée.

À quatre heures eut lieu le premier choc. J.P.G. était attablé dans son coin du Café de la

Paix. Il avait oublié que c'était jeudi. Il y avait beaucoup plus de gens que d'habitude à aller de vitrine en vitrine et à se promener avec des petits paquets à la main.

Soudain, il aperçut sa femme qui passait. Sa femme le regardait. Elle était accompagnée d'Hélène à qui elle dut dire quelque chose, car Hélène se retourna et vit son père, elle aussi, son père assis tout seul devant un pernod, à une table de marbre blanc !

J.P.G. en resta hébété un bon moment, puis il haussa les épaules et essaya de comprendre le jeu de cartes auquel jouaient ses quatre voisins.

Le soir, il avait fini sa boîte de cigarettes et il en acheta une autre. Le marchand, qui le connaissait déjà, lui demanda si le briquet fonctionnait bien.

N'étaient-ce pas de nouvelles habitudes qui se créaient, de nouveaux centres d'intimité ?

— Je suis passée à la banque, dit simplement Mme Guillaume quand elle eut fini sa soupe.

Il essaya de ne pas rougir, fit un signe de tête approbateur. Il se souvenait du laitier. Le laitier avait dit à sa femme qu'il l'avait rencontré à la banque ! Et sa femme avait fait sa petite enquête !

Elle ajouta :

— J'ai acheté des obligations avec les sept mille francs qui restaient au compte courant.

Il ne répondit rien. Il était trop tard pour freiner, pour essayer d'arranger les choses.

Sa femme se demandait à quoi il dépensait son argent. Elle le soupçonnait peut-être d'avoir une maîtresse. Ce devait être cela, car elle évitait de parler davantage devant les enfants.

Antoine avait un air douloureux. Il sentait confusément qu'il se passait quelque chose de grave et il regardait tour à tour son père et sa mère avec des yeux inquiets, des yeux cernés de gamin de quinze ans.

Quant à Hélène, elle était repliée sur elle-même. Recevrait-elle encore une lettre, ce soir, sur le tas de charbon ?

— Tu vas te coucher ?

— Je suis fatigué.

C'était vrai. J.P.G. était éreinté. Il gagna sa chambre le premier. Contrairement à sa propre attente, il s'endormit avant même que sa femme l'eût rejoint et il ne l'entendit pas se mettre au lit.

Ce fut un drôle de sommeil, peuplé de rêves incohérents mais agréables, un peu lancinants, parfois voluptueux. Il y avait des moments où J.P.G. oubliait qui il était et où il se retrouvait jeune et insouciant.

Le matin, il alluma une cigarette dans son lit, avant de se lever, et sa femme, d'un regard, souligna le détail sans rien dire.

— Tu n'oublies pas que tu as des cours ?

Il ne l'oubliait pas. Il y pensait comme à une sorte de distraction, comme on pense, par exemple, à l'excursion projetée pour le dimanche.

Il mit sa cravate-plastron et songea pendant quelques instants à l'Exposition universelle, puis à la maison de coiffure.

À huit heures moins un quart, il sortait de chez lui, le menton relevé par son faux col, la serviette sous le bras, les moustaches en bataille.

Il accomplit le périple habituel, s'arrêta un instant près de la Pergola, mais la marée était à midi et les bateaux ne sortaient pas encore du port, la plage n'était qu'une brune étendue de vase.

Un pétillement dans les prunelles, il pénétra dans la cour du lycée, prit la tête de sa classe, claqua des doigts pour donner le signal de l'entrée.

Il avait aperçu le proviseur qui l'observait de loin. Il pensait en lui-même :

— Vous verrez, monsieur le proviseur, que je serai bien sage !

Il accrocha son chapeau melon à la patère. Un élève ramassa les devoirs. J.P.G., pendant ce temps, ouvrait sa serviette et en retirait un livre et des papiers.

— Monsieur Camille, voulez-vous me réciter les verbes inséparables ?

C'était une classe de troisième. Plusieurs des élèves portaient de longs pantalons. Camille était un garçon à la voix cassée par la mue, à la lèvre supérieure ornée d'un duvet brun.

Il récita. La fenêtre était grande ouverte. On était au premier étage et on apercevait le jardin du proviseur où le jardinier du lycée arrosait un parterre de tulipes.

J.P.G. n'avait pas besoin d'écouter. Les syllabes se suivaient et la moindre erreur frappait immédiatement son oreille. De temps en temps, Camille toussait, hésitait, repartait.

— Ne soufflez pas, Mollard !

J.P.G. regardait ailleurs, il regardait l'arrosoir du jardinier et, machinalement, il mit une main dans sa poche, retira l'étui rouge et or, tapota le bout d'une cigarette sur le pupitre avant de l'allumer.

Il n'aurait pas pu dire à quoi il pensait. Peut-être ne pensait-il à rien ? Comme il éteignait son briquet, il perçut un silence plus profond dans la classe. Camille s'était tu. Les élèves étaient immobiles. La porte s'ouvrait, le proviseur restait debout sur le seuil.

— Voulez-vous me suivre un instant, monsieur le professeur ?

C'est alors seulement que J.P.G. aperçut sa propre cigarette et les visages ahuris de ses élèves.

Il descendit de sa chaire, comprit qu'il valait mieux emporter sa serviette et son chapeau. Il chercha en vain ses manchettes. Ce matin-là, il ne les avait pas mises.

VI

À midi, J.P.G., dans son coin du Café de la Paix, attendait le passage des élèves du lycée. Il n'était pas très ému. Peut-être même était-il plus calme que de coutume ?

S'il n'était pas rentré chez lui en quittant le proviseur, ce n'était pas par crainte d'une explication, mais parce qu'il avait déjà ses habitudes et que la salle fraîche du café l'avait attiré. Des joueurs de belote occupaient la table voisine. Il voyait leur jeu et un des joueurs se tournait de temps en temps vers lui avec un clin d'œil en lui montrant ses cartes.

À un certain moment, on l'avait appelé au téléphone et il s'était adressé à J.P.G.

— Vous ne voulez pas prendre ma place un moment ?

— Je ne sais pas jouer.

C'était vrai. De son temps on ne jouait pas à la belote. Rien que l'idée de toucher les cartes lui faisait un drôle d'effet quand même.

Il perçut la rumeur de la sortie du lycée, attendit de voir passer Antoine qui marchait presque toujours seul et le suivit à une vingtaine de mètres. Antoine avait une clef de la maison lui aussi. Il ouvrit la porte et tressaillit en voyant son père sur ses talons.

C'était un mouvement involontaire, évidemment, comme on en a quand on s'aperçoit que quelqu'un vous suivait. Quand même ! J.P.G. y vit un symbole des relations entre son fils et lui.

Il y avait du lapin à déjeuner. La maison était baignée d'une bonne odeur tiède. Des pommes de terre rissolaient dans la poêle et Hélène avait mis un tablier neuf aux plis craquants.

Le repas commença fort bien. Chacun était à sa place. J.P.G. regardait devant lui comme d'habitude, et on aurait pu croire que ce serait un déjeuner pareil aux autres.

Mme Guillaume, cependant, s'impatientait. Quand son mari entama une cuisse de lapin, elle murmura :

— Tu ne me dis pas comment cela s'est passé ?

La respiration d'Antoine en fut coupée. Le gamin regarda son père, puis sa mère, se pencha vers son assiette.

— Je crois que je vais être définitivement renvoyé, prononça J.P.G. sans cesser de mastiquer.

Il ajouta, tourné vers sa fille :

— Tu devrais mettre de la bière à table.

Ce n'était pas par provocation. Évidemment on ne buvait jamais de bière aux repas, mais J.P.G. trouvait que la bière irait bien avec le lapin, avec le soleil, les pommes rissolées et l'atmosphère de ce midi-là.

— Tu t'es disputé avec le proviseur ?

— Même pas.

Il ne bluffait pas. Son attitude était simple et naturelle. Il n'avait pas envie de parler de cela, voilà tout ! Cela lui semblait très loin. Le lycée avait soudain reculé dans le temps et dans l'espace. Il revoyait la tête du proviseur, qui avait des cheveux gris taillés en brosse, comme on revoit certains visages entrevus jadis.

— Que s'est-il passé ?

Hélène posait une bouteille de bière sur la table et J.P.G. se servit, but un demi-verre, essuya ses moustaches avant de soupirer :

— Une chose tout à fait ridicule. Sans y penser, j'ai allumé une cigarette…

Il y avait de quoi rire, ou hausser les épaules, mais Mme Guillaume ne fit ni l'un ni l'autre.

— En classe ? s'écria-t-elle.

— En classe.

Il avait bu un apéritif de plus que les autres jours, car il était resté plus longtemps au café. Cela faisait trois pernods. Mais il n'était pas ivre. L'alcool soulignait seulement le flottement de sa pensée.

Il n'aurait pas pu expliquer en quoi cela consistait au juste. Par exemple quand, il y a quelques jours, il était assis à la même table, il savait que la table était en bois, que les personnes assises autour constituaient sa famille, qu'il passerait le restant de ses jours avec elles, que la maison était à lui et que c'était un bonheur d'avoir une maison, car on ne sait jamais ce qui peut arriver.

Eh bien ! il n'en était plus ainsi. Il était assis à la même place, mais il n'était pas loin de s'en étonner. Il regardait sa femme, il entendait sa voix et il ne voyait aucune raison de vivre avec elle plutôt qu'avec une autre.

Une scène allait éclater, c'était fatal. Antoine le savait. Hélène le savait. Mme Guillaume prenait son élan.

Cela lui était égal ! Il continuait de manger le lapin, qui était excellent, et de temps en temps il jetait un coup d'œil sur le mur de la cour qui éclatait de soleil. C'était lui qui l'avait passé à la chaux, le lundi de Pâques, et ce jour-là il avait les moustaches étoilées de blanc.

— Qu'est-ce que tu comptes faire ?

— Je ne sais pas encore. Le proviseur ne m'a pas caché que mon cas est très grave. Il veut te parler avant de rédiger son rapport.

— À moi ?

— Oui, dit J.P.G. avec indifférence.

Il savait pourquoi, d'ailleurs. Le proviseur, pendant l'entretien qu'ils avaient eu, n'avait pas cessé de l'épier en se demandant si son professeur d'allemand n'était pas un peu fou. Antoine se demandait la même chose. Le bruit devait courir parmi les élèves que J.P.G. déraillait.

— Tu l'as fait exprès ?

— Quoi

— De fumer !

— Non. Je pensais à autre chose.

— Tu pensais à autre chose aussi quand tu as retiré deux mille francs à la banque ?

— J'en avais besoin.

— Je voudrais bien savoir pourquoi ?

Elle s'énervait. Lui restait d'un calme parfait.

— Je ne peux pas te le dire.

— Et tu crois que tu vas toucher à mon argent sans même m'en parler ?

— Ce n'est pas ton argent.

— Ce n'est pas mon argent ? Ose répéter que ce n'est pas l'argent de ma dot !

Il soupira. Il avait prévu qu'on en arriverait là et il ne tenait pas plus que cela à dire des méchancetés. Mais il n'y avait plus moyen de reculer.

Mme Guillaume aurait pu ne pas insister. Au

contraire, elle resta agressive et alors J.P.G. déballa tout, de la même voix égale. Il rappela entre autres choses qu'en se mariant il avait été volé comme dans un bois.

Car le vieux colonel l'avait volé ! Il avait annoncé qu'il donnerait à sa fille une dot de dix mille francs. Cela devait s'entendre, évidemment, en plus des meubles et du reste qu'une femme apporte toujours en se mariant.

Au dernier moment, il n'en avait pas moins déclaré :

Les dix mille francs serviront à monter votre ménage.

Il n'avait rien donné d'autre, sinon quelques vieux meubles qui encombraient sa maison. Pis encore : les dix mille francs étaient en actions et ces actions, quand J.P.G. se rendit à la banque, ne valaient plus que six mille quatre cent cinquante francs !

— Six mille quatre cent cinquante ! répéta-t-il.

Et Mme Guillaume se mit à pleurer, cependant qu'automatiquement Antoine commençait à renifler.

— Tu as toujours détesté mon père ! gémissait-elle.

— Ce n'est pas vrai.

— Tu me détestes d'ailleurs aussi... Tu détestes tout le monde... Tu n'aimes que toi...

En dix-huit ans, il n'y avait eu que deux scènes aussi violentes, dont une à la naissance d'Antoine, parce que J.P.G. s'était endormi dans le salon pendant l'accouchement.

— Tais-toi, papa, intervint Hélène qui essayait toujours d'arranger les choses.

— Je ne demande pas mieux, moi ! C'est ta mère...

— Je préfère ne rien dire devant les enfants !

— Alors, ne dis rien.

— Ils s'apercevront tôt ou tard que leur père a une maîtresse. Sinon, qu'aurais-tu fait des deux mille francs ? Et pourquoi te mettrais-tu soudain à fumer des cigarettes à bout doré ?

— Tais-toi.

— Je ne me tairai pas. Je veux savoir. J'en ai le droit.

J.P.G. hésita à se servir d'une arme qu'il avait en réserve, mais sa femme continuait. Alors il but un plein verre de bière, s'essuya lentement les moustaches et dit en se levant :

— Est-ce que je te parle du capitaine, moi ?

— Quel capitaine ?

Elle avait tressailli et son visage était devenu pâle.

— Rappelle-toi le petit recoin, derrière l'escalier...

Il avait toujours gardé cela pour lui. Cela datait des débuts de ses fiançailles. Dans la maison d'Orléans, il y avait un recoin assez sombre sous l'escalier qui desservait les étages.

Le dimanche après-midi, on jouait au bridge dans le salon. Il y avait toujours deux ou trois officiers d'un certain âge, amis du colonel.

Une fois que sa fiancée avait quitté la pièce pour aller chercher des liqueurs, J.P.G. s'était levé à son tour. Il avait très bien vu la jeune fille dans le recoin, avec un capitaine qui était sorti en même temps qu'elle.

Ce n'était pas un homme jeune. Il avait dans les cinquante ans. Leurs relations ne faisaient aucun doute et par suite J.P.G. avait eu l'impression nette que deux ou trois amis du colonel d'intendance en usaient de même avec sa fille.

Il n'en avait même pas parlé ! À quoi bon ?

Maintenant, il précisait :

— Un capitaine un peu chauve qui avait un nom en « ti »... Charletty, Baretty...

Hélène avait gagné la cuisine où elle pleurait, elle aussi. Affalée dans un fauteuil, Mme Guillaume avait une crise de nerfs et J.P.G. allumait une cigarette, restait debout sur le seuil, à regarder le jardinet.

On ne pouvait pas encore prévoir comment cela allait finir, mais il n'était pas trop impatient. Antoine regardait son père avec un œil presque haineux. Hélène passa avec du vinaigre.

J.P.G. avait envie de prendre son chapeau et d'aller faire un tour mais la scène restait sans conclusion et il devait attendre. Derrière lui, on se mouchait, on chuchotait, on laissait de temps en temps éclater un sanglot. Hélène commença pourtant à débarrasser la table et le bruit familier des assiettes et des verres amena un peu de détente.

Quand J.P.G. se retourna enfin, sa femme était debout, les yeux rouges, mais la démarche assurée.

— Va à l'école, dit-elle à son fils.

Puis elle s'adressa à son mari :

— Veux-tu me dire ce que tu comptes faire ?

— Moi ?

— Oui, toi !

Et elle éclata :

— Tu as l'air d'oublier que tu as une famille, une femme, des enfants, et que nous sommes sans fortune. J'ai déjà eu assez de peine à obtenir que tu prennes une assurance-vie. Est-ce que la dernière prime est payée, seulement ?

Il se gratta la tête. Il n'y était plus du tout. Il entendait les mots, il voyait sa femme qui remuait les lèvres et les bras mais il réalisait mal la raison de cette agitation.

Il avait surtout envie qu'on le laissât tranquille. Alors, il irait tout doucement jusqu'au port, regarderait le petit restaurant, puis il passerait, rue du Palais, en face de la maison de coiffure à vitrine mauve. Il arriverait fatalement au Café de la Paix où le joueur de belote lui montrerait ses bonnes cartes en souriant.

Sa femme se doutait-elle seulement de ce que c'est de voyager en quatrième classe ? Ce n'était là qu'un détail, qui lui venait à l'esprit à cause du lapin. Un jour qu'il était à bord du bateau, au retour du Venezuela, une bonne odeur était venue des cuisines et il avait pensé que c'était du lapin. Il n'avait jamais pu savoir s'il avait raison, car c'étaient les cuisines des premières classes.

— Tu ne crois pas que tu deviens fou ?

Elle disait cela très sérieusement, en le regardant dans les yeux de la même façon que le proviseur. Il sourit.

— Je ne crois pas, non.

— Moi, voilà deux jours que je me le demande. Ce serait ta seule excuse.

— Tu as même fait venir le docteur, remarqua-t-il.

— Et après ? Cela prouve que je tiens à ta santé !

Quel besoin éprouva-t-il d'ajouter :

— Tu tiens surtout à ce que je puisse continuer à travailler.

Tant pis ! Et il s'en allait. Il traversait le corridor, prenait son chapeau au portemanteau.

— Jean-Paul ! appela sa femme.

Il ne répondit pas. Ses pas sonnaient sur les dalles.

— Jean-Paul ! Il faut absolument que je te parle…

Il avait atteint la porte et il l'ouvrit. Il vit sa femme au bout du couloir, avec un visage tragique, des yeux agrandis par la stupeur et l'angoisse.

— Jean-Paul…

Elle ne semblait pas encore croire qu'il partirait quand même, mais il descendit le seuil, se trouva sur le trottoir ensoleillé, referma la porte derrière lui.

Il était vide et flottant comme s'il avait beaucoup pleuré, alors que c'était sa femme qui avait pleuré. Il marchait mollement vers le Mail et il salua le maire qui passait. Le maire ne dut pas le voir. Il voyait rarement les gens dans la rue, car il était myope, mais J.P.G. crut qu'il avait fait exprès de ne pas lui rendre son salut et fronça les sourcils.

Sa femme avait raison. Qu'allait-il faire ? Le tort qu'elle avait, c'était de poser la question sur un mode agressif. Était-ce sa faute si c'était un crime d'allumer une cigarette par inadvertance ?

Sans cet incident, il était prêt à continuer ses cours aussi honnêtement que par le passé. Il n'en voulait à personne. Il demandait seulement qu'on le laissât tranquille.

Quant aux deux mille francs, il savait bien ce qu'il avait fait. Sans cette restitution, il aurait vécu dans l'angoisse de se retrouver face à face avec Mado. Maintenant, au contraire, cette idée ne l'effrayait plus, lui plaisait presque. Le plus gênant, c'était le vieux bonhomme de chauffeur qui, à son âge, prenait des attitudes d'amoureux.

J.P.G. aurait bien voulu s'arrêter, s'arrêter dans le sens très vaste qu'il donnait à ce mot, s'arrêter de marcher, certes, mais aussi tout arrêter en lui et autour de lui, ne fût-ce que le temps de reprendre haleine.

Les choses allaient trop vite. Il y avait des gens assis sur les bancs du Mail et il les regardait avec envie. Pourtant, qu'est-ce qui l'empêchait de s'asseoir sur un banc, lui aussi ? Tout et rien ! Le fait, déjà, qu'il aurait été incapable de rester immobile pendant un quart d'heure !

La criée aux poissons battait son plein quand il passa devant le portail et cela lui rappela qu'au début de son séjour à La Rochelle, alors qu'Hélène venait de naître, c'était lui qui venait y acheter le poisson chaque jeudi.

Il marchait toujours. Il franchit la porte de l'Horloge, passa devant le magasin de Vial et haussa les épaules.

Il avait chaud ; une buée tiède lui montait à la peau et la bière lui tournait un peu sur l'estomac.

— J'irai voir un bon avocat et je lui raconterai toute l'histoire !

Quelle tête feraient les gens de La Rochelle si on leur annonçait soudain :

— Le professeur d'allemand au lycée, J.P.G., est un ancien forçat nommé Georges Vaillant. Il a été arrêté tout à l'heure comme il passait rue du Palais…

La maison d'arrêt était justement en face du salon de coiffure et il y jeta un coup d'œil.

Il n'avait pas peur. C'était un sentiment plus compliqué. Il regardait les gens qui passaient et il se disait :

— Toi, malgré ton air, tu ne sais rien, rien de rien !

Lui savait ! Tout ! Des choses que les hommes ignorent toute leur vie ! Des choses qu'on ne peut même pas raconter !

Par exemple, l'histoire du Gorille ! Le Gorille n'était pas un vrai gorille. C'était son compagnon de chaîne qu'on appelait ainsi parce qu'il avait le corps aussi velu qu'un singe.

Et J.P.G., pendant deux ans…

Non ! Il ne pouvait même pas y penser dans la rue claire, en longeant les arcades. Et dire que sa femme s'amusait à déclencher une scène stupide et se prenait pour une martyre ! Car elle se prenait pour une martyre et elle le considérait, lui, comme un monstre ! À cette heure même, elle pleurait et se lamentait en compagnie d'Hélène qui ne pouvait pas voir pleurer quelqu'un sans pleurer elle-même.

Mado ne se trouvait pas dans la petite entrée. Peut-être était-elle occupée avec une cliente et J.P.G. eut un instant l'idée d'aller encore se faire couper les cheveux.

Il ne le fit pas. Il savait qu'il ne le ferait pas. Il pensait ces choses-là pour penser, pour occuper son esprit et, mathématiquement, il devait aboutir dans un coin du Café de la Paix.

Il ignorait qu'il fût si tôt. L'horloge marquait seulement deux heures moins cinq. Des gens, à la terrasse, attendaient l'autobus de Niort.

J.P.G. entra, marcha droit vers sa table qui était libre, s'assit et regarda autour de lui. Il vit d'abord le garçon qui s'approchait, puis le patron qui discutait avec un inconnu et enfin, juste en face, dans le coin opposé, Mado et son compagnon.

Mado portait un chapeau noir garni de quelque chose de rouge, une plume ou un ornement quelconque. Elle ne regardait pas J.P.G. Elle observait l'horloge, comme quelqu'un qui doit être quelque part à une heure déterminée.

C'était simple : elle devait reprendre son service de manucure à deux heures !

Le vieux, lui, regardait dehors, car sa camionnette aux fromages était rangée au bord du trottoir.

— Je ne sais pas..., balbutia J.P.G. comme le garçon lui demandait ce qu'il voulait boire.

Il était dérouté. Il n'osait pas s'en aller. Il se demandait si Mado allait le voir. Elle buvait du café dans un verre. Pendant qu'elle buvait, son regard se porta vers le coin où se trouvait J.P.G., mais ce fut un regard neutre et vague.

— Une petite fine ?

— Si vous voulez.

Ce n'était pas le garçon habituel. Celui qui, d'ordinaire, servait J.P.G. s'occupait aujourd'hui de la terrasse.

Mais il rentra. Il se dirigea vers le couple, se pencha et dit quelques mots à voix basse.

Presque aussitôt, tandis qu'il s'éloignait, le regard de Mado s'arrêta, nettement cette fois, sur J.P.G. et exprima la surprise. Pas une surprise dramatique ! Pas davantage une surprise émue !

Non, elle avait l'air de se demander :

— Qu'est-ce que ce monsieur peut bien me vouloir ?

Et J.P.G. la fixait de ses grands yeux couleur

de noisette tout comme s'il eût voulu l'hypnotiser.

Elle ne le reconnaissait pas ! Elle ne cherchait même pas dans ses souvenirs ! Lentement, elle ouvrit son sac à main, y prit un mouchoir roulé en boule et se moucha. Puis elle se pencha vers son compagnon et lui parla, regarda l'horloge avec une certaine impatience. Il était deux heures moins trois minutes.

Le vieux hésita, fit mine de se lever, se rassit, parla à son tour.

Au mouvement des lèvres, J.P.G. devina qu'elle répondait :

— Si tu n'y vas pas, j'irai moi-même.

Ne valait-il pas mieux partir ? Les gens, dans le café, ne se doutaient de rien. Ceux de la terrasse se levaient, car l'autobus venait d'arriver. Le patron, accoudé à la caisse, téléphonait.

Mado ne devait pas être beaucoup plus commode que Mme Guillaume, car elle dit encore deux phrases, comme on donne un ordre, et le bonhomme aux cheveux gris se leva, prit sa casquette et se dirigea vers le coin de J.P.G.

Celui-ci restait tassé de tout son poids sur la banquette, aussi immobile qu'un paralytique.

— Vous permettez ?

C'était le vieux, qui prenait la chaise en face de J.P.G. Le garçon se tenait à brève distance et ne cachait pas sa curiosité tandis que Mado, au contraire, avec une indifférence feinte, se remettait du rouge à lèvres en se regardant dans le miroir de son sac.

— Je m'excuse de vous déranger…

L'ancien chauffeur n'était pas à son aise. Il bafouillait. Pour abréger, il tira de sa poche l'enveloppe aux deux billets de mille francs.

Le bord en était déchiré mais l'argent y était encore.

— C'est bien vous qui avez envoyé cet argent à ma femme ?

J.P.G. était figé. Il ne se demandait même pas ce qu'il allait répondre. Les prunelles agrandies, il fixait son interlocuteur qui s'efforçait de garder une attitude digne, un peu menaçante.

— Nous avons été très étonnés, ma femme et moi, de cet envoi. Nous avons interrogé le garçon de café et il nous affirme…

Mado, de temps en temps, jetait un coup d'œil pardessus son miroir.

— Je…

Il ne pouvait pas parler. Ses deux mains étaient posées à plat sur le marbre froid de la table et il se demandait encore s'il n'allait pas s'élancer dehors.

— Vous comprendrez que nous désirions une explication et que….

Le garçon s'était encore rapproché d'un mètre afin de tout entendre. À droite on apercevait la camionnette aux fromages. En face, Mado refermait son sac et tambourinait du bout des doigts avec impatience.

La main de J.P.G. glissa vers le verre de fine et il but une gorgée qui lui serra la gorge davantage.

VII

Le mot méchant serait exagéré. C'est plutôt sournois qu'il faut dire. L'homme avait un visage de paysan normand, de petits yeux clairs qui guettaient J.P.G. en dessous. Par l'effet d'un hasard, peut-être, il gardait la main droite dans la poche de son veston.

Alors, J.P.G. eut peur.

C'était une sensation qu'il connaissait, qu'il pouvait prévoir comme un épileptique sent venir sa crise, et dans ces cas-là il avait littéralement peur d'avoir peur.

La première fois que cela lui était arrivé, c'était quand trois inspecteurs étaient venus le cueillir dans la chambre où il se terrait. Comme il récitait avec une fausse assurance le boniment qu'il avait préparé et donnait des alibis, les trois hommes l'avaient frappé, sans colère, sans haine, avec une satisfaction qu'ils cachaient sous une moue de dégoût.

J.P.G. avait fait ainsi connaissance avec les

coups, les vrais, ceux contre lesquels on ne peut rien, qui meurtrissent la chair, font saigner, froissent les os, vous laissent vide et malade pour plusieurs jours.

Un des trois inspecteurs, entre autres, portait des moustaches comme J.P.G. en avait maintenant et il avait la spécialité de donner des coups de pied dans les tibias. Puis soudain, comme le prisonnier n'avouait pas encore, il lui avait envoyé son genou dans le bas-ventre.

Contre les policiers on ne peut pas se défendre. On ne peut même pas parer, parce que cela les excite. À Saint-Martin-de-Ré, puis en Guyane, c'était la même chose.

Les compagnons de chaîne frappaient. Les gardiens frappaient. Et c'était le plus terrible, plus terrible que la faim, que la chaleur, que la soif.

On était tranquillement à marcher, en ne pensant à rien. Ce jour-là, par hasard, on n'était presque pas malade et voilà qu'un coup de trique vous arrivait d'un garde-chiourme, comme ça, pour rien, pour le plaisir.

J.P.G. n'était pas très vigoureux. Après, en France, il s'était tenu très droit, très raide ; il avait laissé pousser des moustaches impressionnantes ; mais il avait gardé la peur maladive des coups.

Le compagnon de Mado avait une façon

inquiétante de le regarder. C'était peut-être un de ces hommes qui sont capables de faire un mauvais coup froidement, quitte à le payer tout le reste de leur vie.

Sa main, dans sa poche, pouvait tenir un revolver ou un casse-tête.

Ce qui rassurait un peu J.P.G., c'était la présence du garçon, à deux mètres de lui.

— Je vais vous dire..., balbutia-t-il.

Dans ces moments-là, il n'était pas fier. Les images devenaient floues autour de lui. Il ne savait pas où regarder. Il toussait entre les syllabes.

— J'avais cru reconnaître une femme que j'ai connue et à qui je dois de l'argent...

— Comment s'appelait la personne que vous connaissez ?

Il faillit dire Mado, se rattrapa à temps, affirma avec force :

— Jeanne... Jeanne Lamarck...

C'était le nom de sa femme qui lui était venu aux lèvres. Tant pis ! C'était sans importance.

— Et elle lui ressemblait ?..., insistait le bonhomme, méfiant.

— Assez... Maintenant que je vois... madame... de plus près, je me rends compte...

L'homme avait laissé l'enveloppe aux billets sur la table. Il se levait.

— Ça va, dit-il. Il n'y a pas d'injure.

J.P.G. n'osait pas se tourner vers Mado.

Elle s'était levée de son côté et rejoignait son compagnon près de la porte. Il lui dit quelques mots à mi-voix. Elle se retourna pour observer J.P.G., qui ne présentait que son profil.

Il entendit le moteur de la camionnette que l'on mettait en route, puis le grincement de l'embrayage. Mado, toute seule, suivait les arcades de la rue du Palais pour se rendre à la maison de coiffure où elle arriverait en retard.

J.P.G. apercevait toujours le tablier blanc du garçon, le marbre d'une table, des pieds de chaises et la sciure de bois étalée sur le plancher.

Lentement, il reprenait son sang-froid comme quand, là-bas, le Gorille l'avait assommé. Il avait la même salive amère dans le bouche, la même lassitude de tout l'être, le même dégoût de tout. Machinalement, il prit les deux billets de mille francs et les glissa dans son portefeuille, après avoir froissé l'enveloppe qu'il jeta par terre.

Il était presque ahuri de se retrouver dans le décor paisible du café et d'apercevoir la place claire où les chauffeurs commençaient leur partie de bouchon. Il regardait les visages des consommateurs, l'un après l'autre. À quoi ces gens-là pensaient-ils ?

— Garçon !

Il paya, se leva, suivit, lui aussi, la rue du Palais, passa devant le salon de coiffure et s'arrêta même un instant devant le buste de cire couronné de cheveux argentés.

Ce qu'il aurait fallu, c'était parler à Mado en tête à tête. Elle ne l'avait même pas reconnu. Elle n'avait pas deviné que les deux mille francs représentaient le prix des bijoux qu'il avait pris à Marseille.

Plus ses jambes étaient lasses et plus il marchait. Que pouvait-il faire d'autre ? On le vit debout sur le quai devant les bateaux qui revenaient du large et qui débarquaient leur poisson. On le vit à une vente en plein air qui avait lieu, par ordre de justice, dans une ruelle pauvre. Et personne n'aurait pu dire s'il regardait et s'il écoutait.

Soudain, il se trouva face à face avec son fils qui revenait de classe en compagnie d'un camarade et Antoine quitta vivement celui-ci, l'air gêné, pour rejoindre son père.

Sans rien dire, il marcha à côté de lui, ses livres sous le bras.

Antoine avait un regard plus anxieux et plus triste que jamais. On aurait pu croire qu'il avait peur de tout, comme son père avait peur des coups.

— Maman est venue au lycée, dit-il enfin après avoir hésité.

— Ah !

Ils passaient près de la Pergola où des couples dansaient au son du jazz. Une jeune fille en costume de bain se promenait en périssoire, bien qu'il ne fît pas encore très chaud. Sur le Mail, des échafaudages entouraient les bâtiments du casino que l'on remettait à neuf pour la saison.

J.P.G. s'arrêta et son fils s'arrêta en même temps, ne sachant ce qui arrivait.

— Rentre.

— Tu ne viens pas ?

— Pas tout de suite.

Il préférait s'asseoir sur un banc, face à la mer, près des tamaris que la brise balançait sur le ciel clair. Quelques-uns de ses élèves passèrent et le saluèrent, se retournèrent ensuite pour l'observer.

J.P.G. avait la gueule de bois. Non pas d'avoir bu ! Mais c'était exactement la même sensation, le même écœurement et surtout la même nostalgie.

Il se sentait malheureux, misérable, et il avait une insatiable soif de douceur. La mer était plate et soyeuse. Un ourlet blanc se formait à peine sur le sable roux de la plage et retombait avec un bruit frais. La périssoire était peinte en vert ; le maillot de la jeune fille était rouge.

Parfois la brise apportait des bouffées de musique de la Pergola.

Là-bas, de l'autre côté de l'Océan, il arrivait aussi que la mer fût plate et bleue, mais on ne la regardait jamais. On pensait à ses maladies, à la ration de pain qu'on volerait à quelqu'un, au garde-chiourme qui allait être changé, au compagnon qu'on soupçonnait d'être un mouton et qu'on « buterait » à la première occasion.

On pensait à moins que cela encore, à d'infimes détails de la vie animale. Six mois durant, J.P.G. avait eu au dos de la main droite une plaie qui ne voulait pas guérir.

Au bout du même banc, une femme remuait doucement la voiture d'un bébé endormi.

J.P.G. ne fumait pas. Il oubliait qu'il avait des cigarettes dans sa poche. Ce qu'il aurait voulu, c'était être à la même place avec Mado. Mais pas avec Mado de tout à l'heure, aussi roide et sévère qu'une caissière de grand magasin.

Elle serait très douce, très gentille, avec une pointe de gaieté.

— Te souviens-tu du jour où, à Spa, Polti a essayé sa nouvelle auto ? C'était une des premières. Nous portions tous des peaux de bique et de grosses lunettes...

Polti, maintenant, devait être très riche. Peut-être était-il devenu directeur de casino ? C'était difficile à savoir, car il avait sans doute changé de nom.

Le soleil se couchait et un air plus frais s'exhalait de l'horizon. La maman s'en alla en poussant sa voiture. À sept heures, la musique s'arrêta à la Pergola et des couples partirent vers la ville.

J.P.G. n'avait pas envie de bouger. Pourtant des frissons le secouaient de temps en temps. Il avait fini, sans s'en rendre compte, par se pencher en avant et par se prendre le menton entre les mains.

Si Mado avait été là, il aurait sans doute pleuré.

Que se passait-il chez lui ? Pour aller voir le proviseur, Mme Guillaume avait revêtu sa tenue des grands jours, avec la voilette grise, les gants de chevreau noir, le camée cerclé d'or au milieu de la poitrine.

Hélène était restée à la maison, après avoir aidé sa mère à s'habiller. Peut-être, ensuite, avait-elle répondu aux lettres du jeune homme ?

Mais comment les lui faisait-elle parvenir ? Elle ne sortait presque jamais. Elle ne pouvait glisser les billets par le soupirail…

À moins…

Oui ! J.P.G. en était sûr. C'était Antoine qui devait mettre les lettres à la poste, ou les déposer à un endroit quelconque. Peut-être même, chaque matin, le jeune homme l'attendait-il sur le chemin du lycée ?

À cette heure, Mme Guillaume était rentrée. Elle se déshabillait. Elle demandait :

— Ton père n'est pas ici ?

Et Antoine, qui hésitait toujours, murmurait après réflexion :

— Il est resté sur un banc du Mail.

Pourquoi J.P.G. ne s'en irait-il pas ? Il avait deux mille francs en poche. Il n'avait qu'à couper ses moustaches, changer son allure et son nom. Il retrouverait facilement les gens qui, comme Bébert l'Italien, se chargent de vous faire des faux papiers.

Dans un hôtel de la Côte d'Azur, par exemple, il obtiendrait une place à la « réception », grâce à sa connaissance de quatre langues.

Il y pensait. Il évoquait un hall d'hôtel, vaste et somptueux, le comptoir d'acajou, la place du concierge devant son tableau de clefs, les portiers en faction aux deux côtés de la porte tournante.

Il porterait une jaquette. On l'appellerait à chaque instant au téléphone et il répondrait tantôt en anglais, tantôt en allemand, tantôt en espagnol.

Il aurait sa chambre tout en haut, avec les maîtres d'hôtel et les gouvernantes, et il mangerait avec eux dans la salle des courriers…

Il ne fit pas attention à des bruits de pas sur le gravier de l'allée. Il ne remarqua même pas que quelqu'un se campait devant lui et il ne leva la tête qu'en entendant une voix qui disait :

— Alors ?

Le docteur Digoin était là, campé sur ses courtes jambes, le visage coloré, de la gêne dans ses petits yeux toujours humides.

— Alors quoi ? dit J.P.G.

— On prend l'air, à ce que je vois ? Mais vous n'avez pas de pardessus et, à cette heure, la température fraîchit.

J.P.G. fronça les sourcils, regarda derrière lui comme pour y chercher quelqu'un d'autre.

— Vous avez vu ma femme ? demanda-t-il.

Le docteur se troubla, balbutia :

— Pourquoi me posez-vous cette question ?

— Parce que je parie que c'est elle qui vous a appelé. Que vous a-t-elle dit ?

— Rien ! C'est moi qui passais avenue Coligny. L'autre jour, je vous avais trouvé fatigué. Alors, je suis entré, pour vous serrer la main et prendre de vos nouvelles. On m'a annoncé que vous étiez sur le Mail...

J.P.G. se leva en soupirant. Le docteur coupait du bout des dents la pointe d'un cigare. Il n'était pas très diplomate. Il était évident qu'on l'avait chargé d'une mission difficile et qu'il ne savait comment s'en tirer.

— Vous faites quelques pas avec moi ?

Les roseurs du couchant avaient disparu et dans l'air bleuté les réverbères allumés mettaient des étoiles blanches. Quelque part, on rentrait les chaises et les tables de la terrasse d'une brasserie.

— Vous savez, n'est-ce pas ? que je ne vous considère pas comme un malade, mais comme un ami. Si je me souviens bien, c'est moi qui ai par deux fois accouché votre femme…

En marchant, J.P.G. regardait par terre et son esprit travaillait à une allure folle. Le proviseur et Mme Guillaume avaient dû discuter longtemps. Ils s'étaient fait des confidences. Mme Guillaume avait dû tout raconter, y compris l'histoire des deux mille francs ! Quant au proviseur…

— Vous n'avez pas l'impression que, depuis quelques jours, vous n'êtes pas dans votre état normal ? Je vous demande seulement de réfléchir. Voyez s'il n'y a pas un de vos organes qui fonctionne mal. Vous digérez bien ?

— Très bien !

— Et le foie, les reins, la vessie ?…

Il n'y avait qu'eux deux à se promener sur le Mail à pareille heure. Si d'aventure quelqu'un passait, c'était hâtivement, sur le trottoir, pour rentrer chez soi.

— Je vous pose ces questions parce qu'il

arrive qu'à votre âge un homme ressente certains troubles. Tout comme pour les femmes, il y a un retour d'âge, un cap désagréable à passer...

J.P.G. ne souriait pas. Il écoutait gravement, se rendait compte que tout un complot s'organisait autour de lui, avec, aux trois angles, sa femme, le proviseur, et ce vieil imbécile de Digoin.

Car c'était un imbécile qui, dès midi, était imbibé de vin au point qu'on ne pouvait supporter son haleine. C'était en même temps un brave homme, qui voulait être aimable avec tout le monde et qui rassurait ses malades, car il préférait les laisser mourir que leur faire peur en leur dévoilant leur mal.

— Je m'excuse de me mêler de ce qui ne me regarde pas, mais je crois savoir que vous avez eu, ces temps-ci, des attitudes inattendues. Ce n'est pas encore inquiétant. Cela peut être mis sur le compte d'une nervosité passagère...

J.P.G. écoutait ces paroles comme un ronron, cherchant à deviner d'où allait venir le danger. Le docteur tirait sur son cigare, prenait un air bonhomme, posait la main sur l'épaule de son compagnon en un geste d'affectueuse familiarité.

— Entre nous, cela pourrait provenir d'autre chose, d'une aventure que vous vivriez en ce moment, par exemple. Cela ne me regarde pas. Je ne veux pas le savoir. Mais je suis un homme aussi…

Leurs semelles écrasaient le gravier à un rythme égal et peu à peu les lumières de la ville devenaient plus claires tandis que l'ombre s'épaississait dans les coins.

— De toute façon, mon devoir est de vous crier casse-cou. Il est grand temps de vous reposer, de vous soigner. Je n'ose pas prononcer le mot neurasthénie, mais je tiens à vous dire que, quand on s'y laisse aller, c'est une tâche ingrate pour le médecin de vous guérir. Vous êtes un homme sérieux, un père de famille. Vous avez une situation, des devoirs à remplir…

Pendant ce temps-là, J.P.G. regardait deux ombres, deux amoureux collés à la palissade du casino.

— Vous avez sans doute gardé de la famille dans le Jura. Je ne connais rien de meilleur que la montagne pour remettre un homme sur pied. À votre place, j'irais passer une quinzaine de jours là-bas, sans les enfants, sans aucun souci. Votre fille est assez grande pour tenir la maison.

— Et ma femme ?

— Elle vous accompagnera, bien entendu.

Il avait parlé du Jura ! J.P.G. ne s'était pas trompé quand il avait flairé un danger. Une dizaine de fois depuis leur mariage, il avait été question de sa famille, de sa province et toujours il s'en était tiré en prétendant qu'il avait quitté les siens en mauvais accord et qu'il ne voulait pas retourner dans son pays.

Or, on revenait à la charge.

— Êtes-vous dans la montagne ou dans la vallée ?

— Parlons d'autre chose, soupira J.P.G.

— Remarquez que ce que j'en dis n'est qu'une simple suggestion. Du moment qu'un changement d'air est indiqué, je pensais…

— Digoin !

Il prononça le nom si drôlement que le médecin tressaillit.

— Quoi ?

— Ma femme a insinué que je devais avoir le cerveau dérangé, n'est-ce pas ?

Ce qui étonnait le plus le docteur, c'est que cette constatation paraissait ravir son compagnon.

— Je vous assure…

— Vous mentez.

— Elle s'étonne seulement de certaines bizarreries…

— Et vous ?

— Moi ?

Dix fois ils avaient parcouru le Mail dans toute sa longueur et l'air devenait de plus en plus frais cependant que de seconde en seconde le faisceau lumineux du phare passait au-dessus des têtes, blanchissant un pan du ciel.

— Venez à la maison, voulez-vous ?

J.P.G. ne savait pas ce qu'il voulait. Il était fatigué. Il se rendait compte qu'il était nécessaire de réfléchir.

Très calmement, il poussa la clef dans la serrure et ouvrit la porte. Il y avait de la lumière au fond, dans la cuisine, ainsi que dans la salle à manger. Le salon n'était pas éclairé, ce qui indiquait qu'on n'attendait pas le docteur.

J.P.G. accrocha son chapeau au portemanteau, entra dans la salle à manger en disant :

— Par ici, docteur. Je vais éclairer le salon.

Sa femme, sa fille et son fils eurent un bon moment l'air de conspirateurs que l'on surprend. Ils ne savaient que dire, ni que faire. Ils n'étaient pas à leur place normale. On devinait qu'à l'arrivée de J.P.G. ils étaient occupés à discuter son cas à mi-voix.

— Hélène ! Sers-nous un petit apéritif.

La gêne s'accrut. Mme Guillaume essaya de faire des signes à son mari.

— Tu sais bien, dit-elle enfin, qu'il n'y en a plus.

Le docteur croisait et décroisait les jambes. La table était mise pour quatre. Une odeur de cuisine régnait dans la maison.

— Alors, qu'on serve ce qu'il y a.

— Il n'y a que de l'eau-de-vie. Ah ! non. Je crois qu'il me reste du madère…

C'était le madère pour la cuisine, dont la bouteille était débouchée depuis trois mois au moins, mais on le servit quand même, encore qu'il fût trouble.

— À votre santé, docteur.

J.P.G. voyait tout. On ne pouvait rien lui cacher. Sa femme regardait le médecin d'un air interrogateur. Digoin avait l'air de lui dire :

— Laissez-moi faire ! Ne vous inquiétez pas.

— Hélène, fit J.P.G., tu mettras un couvert de plus pour notre bon ami.

Là encore, les deux femmes furent affolées. Le dîner ne devait pas être somptueux. Peut-être y avait-il des côtelettes et n'en avait-on acheté que le compte exact ?

Cela fit sourire J.P.G., qui tenait son verre de madère à la main et s'en humectait lentement les lèvres. Antoine, contrairement à son habitude, n'était pas monté faire ses devoirs.

Quelque chose était anormal dans l'atmosphère, mais on n'aurait pu préciser quoi. Si on s'était éclairé au pétrole, J.P.G. aurait prétendu que les lampes marchaient mal, car il avait l'impression qu'il faisait plus sombre que les autres jours. Mais les lampes électriques ne donnent-elles pas toujours la même lumière ?

Il y avait de la grisaille, pourtant, comme de la poussière de nuit dans la maison. Mme Guillaume avait remarqué que la nappe n'était pas propre et elle avait entraîné sa fille dans le corridor où toutes deux avaient chuchoté.

— Pourquoi voulez-vous que je dîne avec vous ?

Pourquoi ? Pour éviter d'être seul avec sa famille, parbleu ! On ouvrit une boîte de sardines et une boîte de thon afin d'ajouter des hors-d'œuvre au repas. Antoine fut appelé dans la cuisine et peu après la porte d'entrée s'ouvrait et se refermait. On avait envoyé le gamin acheter du fromage dans le quartier.

De temps en temps, Mme Guillaume apparaissait dans le salon, avec le sourire qu'elle arborait toujours quand il y avait un visiteur.

Et ainsi J.P.G. la forcerait à sourire jusqu'au soir ! Tant pis pour le docteur !

On le croyait fou ? Il allait leur prouver le contraire ! Il était de bonne humeur, parlait tout le temps et n'avait pas peur de faire allusion à leurs préoccupations les plus graves. Par exemple, il disait :

— Je parie que ce brave homme de proviseur hésite à prendre des sanctions et qu'il m'offre quinze jours ou un mois de repos !

— C'est moi qui ai obtenu ce congé, précisa

Mme Guillaume. Seulement, il tient à ce que tu te soignes.

— Me soigner de quoi ?

— Allons ! Allons ! intervint le docteur, qui sentait que cela tournait mal. Nous nous comprenons très bien. Un petit changement d'air…

Et l'instant d'après, J.P.G. éprouvait le besoin de prononcer :

— À propos, j'oubliais de te rendre les deux mille francs que j'ai pris à la banque…

Mme Guillaume, stupéfaite, ne trouva rien à dire et se leva pour glisser les billets dans une boîte en fer — une ancienne boîte à biscuits — qui se trouvait dans un tiroir du buffet et servait de coffre-fort.

— Ils veulent m'interner ! pensait J.P.G. Ce serait pour eux une solution magnifique ! Car ils toucheraient ma pension. Elle suffit largement pour vivre et ils n'auraient plus rien à craindre.

Il laissait peser sur sa femme un regard lourd d'ironie. Elle se tournait, gênée, vers le médecin.

— Vous ne mangez pas, docteur ! Excusez-nous de vous recevoir si mal. L'idée que mon mari pourrait être malade…

Il y eut un tout petit bruit dans la rue, que personne ne remarqua, sauf Hélène et son père. Leurs regards se rencontrèrent. Hélène rougit.

J.P.G. sourit avec bienveillance, comme s'il eût voulu lui donner un encouragement.

C'était la lettre qui venait d'être glissée par le soupirail et de tomber sur le charbon.

— Hélène…

Elle tressaillit, effrayée.

— Va donc à la cave chercher une bouteille de bourgogne. Il y en a dans le deuxième casier à gauche…

— J'y vais…, proposa cet imbécile d'Antoine.

— J'ai dit à Hélène d'y aller.

Il n'était pas gai, pourtant. Il sentait bien que tout cela était fragile et qu'il nageait au milieu de courants contraires.

Quand Hélène revint avec le vin, son corsage était plus raide, entre les seins, et elle n'osa pas regarder son père.

Mado pensait-elle encore à l'homme qui lui avait envoyé deux mille francs ? Ne regrettait-elle pas de les avoir rendus ? Elle devait se dire :

— Encore un original, comme il y en a tant en province !

Mais Mado ne disait jamais « original ». Elle disait :

— Un piqué !

Le docteur disait :

— Un malade…

Quant à Mme Guillaume…

Il n'y avait que J.P.G. à manger comme quatre !

VIII

Le même soir, on jouait au bridge chez le capitaine de gendarmerie, rue Villeneuve. Le piano était ouvert. Sur un guéridon s'empilaient les tranches d'un cake fait par la maîtresse de maison. Les femmes feuilletaient un album de photographies.

À la table de jeu étaient assis le capitaine, le proviseur du lycée, le commissaire spécial et M. Martin, l'assureur qui habitait tout à côté, si bien qu'il suffisait de frapper contre le mur pour l'appeler.

— Il me semble que je connais cette tête-là, dit la femme du commissaire, une petite boulotte, en montrant une photo prise au cours d'une excursion et représentant une vingtaine de personnes.

Le capitaine, qui servait du vin de grenache, se pencha par-dessus l'album, observa l'image à l'envers.

— Je crois que c'est un professeur du lycée, murmura-t-elle.

Et le proviseur de lancer de sa place :

— Ce n'est pas monsieur Guillaume, au moins.

— Il a de grosses moustaches brunes.

— Dans ce cas, c'est lui.

Malgré ses cheveux coupés en brosse, le proviseur, chez le capitaine de gendarmerie, était sans raideur. Il trempa les lèvres dans son verre et confessa en battant les cartes :

— Je suis en train de me demander s'il n'est pas devenu fou. Une première fois, voilà quelques jours, il s'attaque à un élève, sans raison, et le secoue avec rage. Hier, lui qui ne fumait jamais, reprend son cours et, en pleine classe, allume une cigarette. Sa femme est venue me voir et m'a fait part de ses propres inquiétudes, au point que j'ai envoyé mon Guillaume passer quelques semaines dans le Jura, d'où il est originaire.

Le commissaire spécial, petit et maigre, était occupé par ses cartes.

— Du côté de Dole ? questionna-t-il néanmoins.

— Oui. J'ai feuilleté son dossier tout à l'heure. Il est d'un petit village nommé Servans.

— C'est curieux.

— Pourquoi ?

— Une tranche de cake, monsieur Martin ?

— Parce que j'ai un inspecteur qui est de Servans aussi.

— À vous d'annoncer, capitaine !

À minuit, les couples se séparèrent sur le trottoir et les pas résonnèrent pendant quelque temps dans les rues vides où tombait une pluie fine et tiède de printemps.

À neuf heures du matin, le commissaire spécial arriva à la gare, où il avait son bureau dans l'aile gauche, près de la cour de la grande vitesse. Son habitude était de serrer la main des deux inspecteurs. En serrant celle de Gonnet, il se souvint vaguement de quelque chose, fronça les sourcils, retrouva le nom de Guillaume.

— À propos, dit-il, je crois qu'il y a à La Rochelle un type de votre village.

— De Servans ?

— C'est un professeur d'allemand au lycée, qui s'appelle Guillaume… Jean-Paul Guillaume… Il paraît d'ailleurs qu'il est en train de devenir fou…

— Jean-Paul Guillaume…, répéta Gonnet en fronçant les sourcils à son tour.

Il secoua la tête, répondit, catégorique :

— C'est impossible.

— Pourquoi impossible ?

— Parce que Guillaume est en Indochine.

— Vous êtes sûr ?

— C'est un ami d'enfance. Nous nous tutoyons. Il a failli épouser ma sœur et c'est par hasard qu'il ne l'a pas fait.

Le commissaire grogna comme pour dire qu'il n'y pouvait rien et pénétra dans son bureau. Un peu plus tard, en lui portant les pièces à signer, Gonnet insista :

— Vous êtes sûr que le proviseur a parlé de Servans ?

— Certain. Téléphonez-lui, si vous voulez.

Il n'avait plu que deux heures, pendant la nuit. Il en était ainsi depuis quelques jours et, chaque matin, le ciel était d'une limpidité idéale.

Le marché regorgeait d'asperges nouvelles et on commençait à voir non seulement les groseilles rouges et vertes, mais des paniers de fraises.

Hélène y était allée, à sept heures du matin, comme elle le faisait deux fois par semaine. Quand elle rentra, Antoine achevait son petit déjeuner.

— Maman n'est pas descendue ?

— Elle vient de remonter.

— Et papa ?

— Je crois qu'il reste au lit. Il dit qu'il est fatigué.

Antoine s'essuya la bouche, mit sa casquette et prit ses livres. Hélène rangea ses légumes sur la table de la cuisine, après avoir couvert celle-ci de vieux journaux. Un peu plus tard, sa mère descendit, préoccupée, et commanda simplement :

— Tu porteras une tasse de lait chaud à ton père.

J.P.G. n'était pas malade. S'il avait mal dormi, c'est surtout parce qu'il avait trop mangé la veille au soir. Quand il s'était éveillé, à sept heures, le nez près de la tache de soleil qui, tous les matins, atteignait son oreiller, en tremblotant à cause du frémissement du rideau, il avait décidé de se rendormir.

Puis sa femme était montée. À travers ses cils mi-clos, il l'avait vue qui l'observait sans bienveillance.

— Tu dors ?

Il avait fait semblant de s'éveiller.

— Tu te sens malade ?

— Je ne sais pas. Je crois qu'il vaut mieux que je me repose.

C'était un moyen d'avoir la paix. Par surcroît, il n'avait pas le courage d'arpenter les rues une fois de plus et il n'osait plus aller au Café de la Paix où il risquait de rencontrer Mado et son compagnon.

— Tu veux que j'appelle le docteur ?

— Non. J'ai soif.

Maintenant, il était seul dans la chambre et il attendait, en regardant le plafond, ce qui lui rappelait l'angine annuelle qui le prenait dès les premiers froids, vers la fin octobre, ou le début de novembre.

Il était vraiment fatigué. Ses jambes, dans la moiteur des draps, étaient ankylosées. Il entendit la porte d'entrée qui s'ouvrait et se refermait au départ d'Antoine. Un peu plus tard, il reconnut le pas d'Hélène dans l'escalier.

Elle entra, un bol de lait à la main, apportant avec elle un peu de fraîcheur matinale du dehors. Sa chair était colorée et on eût dit que ses cheveux s'étaient perlés de rosée.

— Cela ne va pas ? s'informa-t-elle.

— Mais si !

Il lui souriait, assis dans son lit, adossé aux deux oreillers pour boire le lait chaud. Quand il avait son angine, on y ajoutait deux gouttes de teinture d'iode.

— Qu'est-ce que dit ta mère ?

— Elle ne dit rien. Elle est triste.

Elle avait laissé la porte entrouverte et se tenait assez loin du lit. J.P.G. ne la quittait pas des yeux et on eût dit que ce regard la gênait, provoquait en elle une angoisse involontaire.

— Tu es contente ?

— Contente de quoi ?

Il n'osa pas s'expliquer. Il n'aurait pas pu le

faire. Il se comprenait et, tout en buvant son lait à petits coups, il regardait les bras nus de sa fille.

Un instant, il pensa :

— Si je lui racontais tout, comme à une camarade ?

Mais c'était une idée en l'air. Elle n'était pas réalisable. Il aurait bien voulu lui parler aussi des lettres qu'elle allait cueillir sur le charbon de la cave.

Hélène était mal à l'aise. Peut-être devinait-elle un danger ambiant.

— Je viendrai prendre la tasse tout à l'heure, se hâta-t-elle de prononcer. Tu n'as besoin de rien d'autre ? Tu ne veux pas que j'ouvre la fenêtre ?

— Oui.

Et l'air frais envahit la chambre. J.P.G. posa le bol tiède sur la table de nuit, se glissa sous les couvertures. Hélène redescendit l'escalier et on devina un murmure de voix dans la salle à manger.

J.P.G. avait oublié de demander un livre. Il est vrai qu'il n'avait pas envie de lire, mais il n'avait pas envie de penser non plus. Il fixait le large rayon de soleil qui coupait la chambre en deux et dans lequel évoluaient des millions de poussières minuscules qui auraient pu être autant d'astres lancés dans l'infini.

Malgré la fenêtre ouverte, l'odeur de chambre à coucher persistait et J.P.G., qui avait beaucoup transpiré, se sentait moite dans son pyjama, surtout depuis qu'il avait vu Hélène toute rafraîchie par la vie du dehors.

Il se leva sans bruit, chercha ses pantoufles, se dirigea vers le miroir et se trouva le teint jaune. Il n'était pas beau, le matin, avec ses moustaches qui tombaient et ses cheveux en désordre.

Il n'y avait jamais pensé, mais maintenant cela le gênait ; il se souvenait des oreillers à dentelles de Mado, de la baignoire rose où pétillaient des sels, des flacons de parfum et aussi de sa poitrine à lui qui, en ce temps-là, était lisse, sans un poil, à peine bistrée.

— Tu as une peau d'Espagnol ! lui disait Mado, qui n'avait jamais été en Espagne. On peut suivre le jeu des muscles à travers.

Il se peigna, après s'être humecté les cheveux d'eau de Cologne. C'était l'eau de Cologne de sa femme. Il entendit le coup de sonnette du marchand de lait, des pas traînants dans le vestibule, la porte qui se refermait, Hélène enfin qui appelait les poules en leur jetant du maïs.

— Petits !... petits !... petits !... petits !...

Il voulut voir comme il serait sans ses moustaches et les tint serrées dans sa main, essayant d'imaginer son visage imberbe.

Il avait les sourcils encore plus fournis qu'autrefois, mais ses yeux n'avaient pas changé. Il y eut un léger bruit au bas de l'escalier. J.P.G. esquissa un mouvement pour se précipiter vers son lit, ainsi qu'un écolier surpris. Personne ne monta.

Alors, pour pouvoir s'enfermer, il pénétra dans le cabinet de toilette. Il n'avait pas d'idée arrêtée, ou plutôt il ne formulait nettement aucune idée. N'empêche que, tout en mettant le verrou, il avait déjà la petite angoisse qui le prenait chaque fois qu'il allait faire une bêtise.

Mme Guillaume aidait sa fille à écosser des petits pois. Toutes deux étaient assises dans la cour, devant un panier et un seau d'eau fraîche. J.P.G. n'avait qu'à écarter le rideau pour les apercevoir.

Le soleil donnait en plein sur le miroir et le prisme solaire se dessinait nettement à l'angle de la partie biseautée, transformant en joyau un simple morceau de verre.

J.P.G. se brossa les dents, se regarda encore en cachant ses moustaches, jeta un nouveau coup d'œil aux deux femmes, la sienne qui était en peignoir bleu pastel et Hélène qui portait une robe rose sous son tablier.

Quand il revint vers la toilette, son regard était fixe et il saisit soudain les ciseaux, coupa un côté des moustaches, resta un moment hébété et, pris de vertige, coupa le reste.

Il en tremblait. Il voulait maintenant faire vite. Il avait peur que quelqu'un montât avant que l'opération fût finie.

Pendant quelques instants, il fit mousser sur son visage le savon à barbe. D'un geste machinal, il affûta son rasoir.

Pourquoi il avait fait cela ? Peut-être par défi ! Il en avait assez d'être J.P.G., c'est-à-dire un ennuyeux professeur d'allemand dont les élèves se moquaient et que les gens regardaient passer dans la rue, tout raide, avec un petit sourire ironique.

Sa femme n'avait jamais été amoureuse, n'avait jamais pensé qu'il pût être autre chose que ce qu'il paraissait. Sa fille non plus, qui détournait la tête lorsqu'il la regardait !

Maintenant, on le croyait fou par surcroît, neurasthénique en tout cas, « piqué », en somme, et on le mettait maladroitement en contact avec le docteur.

Quant à Mado, elle ne l'avait même pas reconnu. Pourtant elle l'avait observé longuement, mais comme on observe un quidam quelconque qui fait partie du paysage.

Le rasoir raclait la peau. Deux fois J.P.G. l'essuya et enfin il s'ébroua au-dessus de la cuvette, s'essuya, interrogea anxieusement le miroir.

Il en resta stupéfait, hésitant à se reconnaître. C'était lui et ce n'était plus lui. Les yeux avaient beau être les mêmes, ils avaient une autre expression. La bouche, surtout, avait changé. On s'apercevait soudain que l'espace entre la base du nez et la lèvre supérieure était très grand. On s'apercevait aussi que cette lèvre était épaisse, voluptueuse.

J.P.G. éprouva le besoin de changer aussitôt de pyjama et, avec un pyjama frais, il eut l'impression qu'il avait rajeuni de dix ans, de vingt ans. Il en était ravi et épouvanté. Il n'osait pas jeter un coup d'œil dans la cour pour s'assurer que les deux femmes y étaient toujours.

Comme il croyait entendre du bruit dans l'escalier, il courut vers son lit, et s'y enfonça.

Son cœur battait. Il lui semblait qu'il venait de commettre un acte d'une importance considérable.

Qu'allait-il arriver, maintenant ? Qu'allait-il dire à sa femme ? Et au proviseur ?

Du moins, s'il rencontrait Mado, il était sûr qu'elle le reconnaîtrait ! Il fallait faire attention. Il ne devait plus circuler sans précaution dans les rues.

Machinalement, il se passait la main sur la lèvre. La peau restait dure. Il sentait nettement deux rides fines aux côtés du nez et de la bouche.

N'avait-il pas un peu l'air d'une vieille coquette maquillée, comme Mado, par exemple ?

Il était gêné. Il n'était pas loin d'avoir honte. Il souhaitait que quelqu'un montât et en même temps il le craignait. Il pouvait attendre longtemps. Sa femme ne viendrait que pour s'habiller, quand le ménage serait fini. Quant à Hélène, elle était occupée en bas jusqu'au déjeuner.

Dressé sur un coude, il appela :

— Hélène !... Hélène !...

Une chaise bougea, dans la cour. Des portes s'ouvrirent et se fermèrent. Des pas gravirent l'escalier.

J.P.G. faillit se cacher le visage sous les draps mais, au contraire, quand sa fille fut dans la chambre, il s'assit dans son lit, en plein soleil, et la regarda en face.

— Tu as besoin de quelque chose ?

Elle avait tellement l'habitude de lui qu'elle le fixait sans le voir et qu'elle fut quelques instants avant d'écarquiller les yeux.

— Papa !..., balbutia-t-elle.

Elle recula. Elle avait peur. Il s'efforçait de sourire, n'obtenait qu'une sorte de rictus qu'on lui connaissait d'autant moins que c'était la première fois que ses moustaches ne lui cachaient pas les lèvres.

Il devinait qu'Hélène avait envie de courir à la fenêtre, d'appeler sa mère.

— Papa !...

Sa poitrine se soulevait, ses lèvres se gonflaient, ainsi que ses paupières, et voilà que les larmes coulaient sur ses joues, qu'elle relevait le coin de son tablier pour les essuyer.

— Voyons, Hélène !...

J.P.G. s'effarait à son tour, car il lui semblait que sa voix elle-même avait changé. Il était aussi gauche que s'il eût joué un rôle au théâtre.

— Viens près de moi...

Elle fit non de la tête. Elle sanglotait, résistait à l'envie de s'enfuir.

Peut-être, dans son inconscient, se passait-il ceci : son père n'était plus son père ; c'était un homme ; un homme couché dans un lit ; un homme qui lui demandait de s'approcher et qui avait un drôle de visage qu'il tentait de rajeunir.

— Pourquoi as-tu fait ça ? gémit-elle.

— Allons ! Allons !...

Il ne savait que dire. Il était dépité, honteux.

— J'avais coupé quelques poils en me rasant et j'ai été obligé de continuer...

— Hélène ! cria, d'en bas, Mme Guillaume.

Hélène se pencha à la fenêtre.

— Qu'est-ce qu'il y a ?

— Ton père va mieux ?

Hélène hésita, se retourna, se pencha à nouveau.

— Je voudrais bien que tu montes, maman !

Et à nouveau une chaise bougea dans la cour. Le couteau à éplucher tomba dans le seau aux légumes. Mme Guillaume gravit lentement l'escalier. Elle était déjà de mauvaise humeur. Quand elle ouvrit la porte, elle regarda son mari, fut un instant suffoquée, hocha tristement la tête.

— Laisse-nous, dit-elle à sa fille.

Elle referma la porte derrière elle. Elle avait certaine répugnance à regarder son mari.

— Écoute, Jean-Paul…

Et lui était à cran. Il pensait :

— Si elle dit quelque chose, je me fâche, je dis tout, oui tout, ce que j'ai à leur dire à tous et à toutes !

Elle s'approchait, passait de l'ombre dans le soleil et du soleil dans l'ombre tandis que le peignoir bleu semblait changer de couleur.

— Il faut obéir à Digoin et aller te reposer quelque part.

Il se contenait encore, mais il avait déjà les lèvres entrouvertes, le regard mauvais.

— Si tu y tiens, je t'accompagnerai. Les enfants sont assez grands pour rester seuls pendant quelques jours.

Elle s'arrêta de parler. La sonnette venait de

se faire entendre dans le corridor. Le laitier était déjà passé. Ce n'était l'heure d'aucun fournisseur, ni du facteur des recommandés.

Mme Guillaume passa dans la chambre de sa fille dont la fenêtre donnait sur la rue. Il y eut un courant d'air, à cause des deux baies ouvertes. Les rideaux se soulevèrent. La porte se referma.

Puis Mme Guillaume revint, fiévreuse.

— C'est le proviseur, dit-elle en cherchant autour d'elle. Il est avec quelqu'un...

Elle ouvrit l'autre porte, celle qui donnait accès à l'escalier, écouta, entendit Hélène qui faisait entrer les visiteurs dans le salon aux persiennes encore closes.

— Hélène..., appela-t-elle à mi-voix.

Hélène monta quelques marches.

— Excuse-moi et dis que je descends dans un instant.

Elle ne s'inquiétait pas de J.P.G. Pendant dix minutes, elle s'agita dans la chambre, ouvrant la garde-robe, le cabinet de toilette, appelant à nouveau sa fille.

— Viens me lacer mon corset...

Puis elle questionna :

— Qui est-ce ?

— Qui ?

— Le monsieur qui est avec le proviseur.

— Je ne sais pas. C'est un grand maigre, très

grand, très maigre, avec un veston trop long. Le proviseur a dit qu'il venait prendre des nouvelles de papa. Quand il a su qu'il était au lit, il a demandé s'il pourrait le voir.

J.P.G. ne bougeait pas. Il apercevait vaguement sa femme qui allait et venait, en chemise, en corset, en pantalon, et qui, maintenant, choisissait une robe.

— Hélène ! Tu devrais courir à l'épicerie acheter un apéritif. Du porto, par exemple.

Hélène disparut. La porte de la rue s'ouvrit et se referma.

— Que vas-tu lui dire pour tes moustaches ?

Il ne savait pas. C'est à peine s'il y pensait. Sans raison, au coup de sonnette, il avait eu le sentiment d'une catastrophe et sa femme l'accroissait par son agitation et son affolement.

— Tu ne réponds pas ? Écoute ! Je dirai que c'est moi…

Elle se coiffait dare-dare, le visage disparaissait sous ses cheveux gris qu'elle peignait, puis qu'elle rattrapait d'un geste familier pour les tordre en un petit chignon.

Hélène, surexcitée elle aussi, devait attendre son tour à l'épicerie et lorgner le casier où étaient rangées les bouteilles de porto.

En bas, il y avait parfois des pas. Les visiteurs ne s'étaient pas assis. On percevait même à certains moments un murmure très grave, celui de la voix du proviseur.

De part et d'autre de la cheminée du salon trônaient deux photographies dans des cadres dorés : celle de J.P.G. et celle de sa femme.

— C'est lui, avait dit le proviseur.

L'inspecteur Gonnet avait fait non de la tête.

— Il a peut-être changé...

L'inspecteur avait renouvelé son geste.

Mme Guillaume, dans la chambre, se campait devant son mari, vêtue de sa robe de soie noire, et questionnait :

— Cela peut aller ?

Puis, en passant, elle prit au vol son face-à-main et descendit l'escalier, amenant peu à peu à ses lèvres un sourire aimable.

IX

C'est en vain que J.P.G. retenait sa respiration pour mieux entendre. Il ne percevait qu'un murmure monotone, ou plutôt deux murmures, l'un grave et l'autre aigu, qui se succédaient, s'emboîtaient, se superposaient parfois pendant quelques instants.

Ce ronron ne s'interrompit pas quand Hélène rentra, sa bouteille de porto sous le tablier, et alla la déboucher dans la cuisine. Du moins y eut-il un peu plus tard le craquement du buffet qu'on ouvrait et le choc des verres.

Au moindre mouvement, le lit, lui aussi, craquait, couvrant les autres bruits de son vacarme, et J.P.G. se leva, se dirigea, pieds nus, vers la porte, où il continua à tendre l'oreille.

Il ne distinguait toujours qu'un rythme, comme un message en alphabet morse. Ce qui était incroyable, c'était la longueur des discours. La voix grave faisait des périodes interminables. Qu'est-ce que le proviseur du lycée pouvait dire ? Il ne faut pas tant de mots pour demander des nouvelles d'un malade et lui souhaiter prompt rétablissement.

Mme Guillaume, elle, avait des exclamations étonnées, quelque chose comme :

— Par exemple !

Ou bien :

— Je ne l'aurais jamais cru !

Hélène allait de la cuisine au salon et du salon à la cuisine. N'aurait-elle pas pu venir mettre son père au courant de ce qui se passait ?

Non ! On le laissait là, tout seul, sans explications. Et c'était lui le principal intéressé ! Comme sa fille passait dans le corridor, il entrouvrit la porte et fit :

— Pstttt ! ...

Hélène n'entendit pas. Elle était affairée. À son pas, J.P.G. croyait deviner qu'il se passait quelque chose de grave.

Maintenant, c'était Mme Guillaume qui parlait, juste en dessous de lui. Sa voix était plus perçante, mais on ne démêlait quand même pas les syllabes. Ce qui était sûr, c'est qu'elle se plaignait. Son discours était une interminable lamentation, ponctuée parfois par un grognement de la voix grave.

Le proviseur et son compagnon allaient-ils partir ? On put le croire. Il y eut un silence, des chaises remuées, mais c'était pour boire.

Puis, tandis que tout le monde était debout, Mme Guillaume ouvrit la porte, cria dans le corridor :

— Hélène !...

Hélène la rejoignit dans le couloir et toutes deux chuchotèrent, puis la jeune fille s'élança dans l'escalier en courant. J.P.G. n'eut pas le temps de rentrer dans son lit et sa fille resta interdite en le trouvant debout, en pyjama, derrière la porte. Elle dut reprendre sa respiration, peut-être faire un effort.

— Vite ! dit-elle. Ils vont monter...

Elle se précipita sur le lit dont elle retira les draps, alla prendre des draps propres dans la commode du palier. Elle avait des mouvements vigoureux et rapides. En quelques instants, le lit fut retourné, transformé, éclatant de blancheur. Puis, aussi vite, elle ramassa les vêtements de sa mère épars dans la chambre.

J.P.G. était toujours debout à la regarder se mouvoir dans le soleil. Il se passait machinalement l'index sur la lèvre supérieure et il se demandait ce qu'il allait dire au sujet de ses moustaches.

— Couche-toi, père.

Elle avait ouvert la fenêtre toute grande et on entendait caqueter les poules, tandis que le murmure d'en bas s'atténuait.

Hélène n'oubliait rien, pas même de mettre

une carafe avec de l'eau sur la table de nuit, où il n'y avait jamais eu de carafe.

— Que sont-ils venus faire ?

— Je ne sais pas.

— Qui est-ce, le second ?

— Je ne sais pas non plus, mais je crois qu'il te connaît depuis longtemps.

Ce fut un choc. J.P.G. voulut demander des explications, mais sa fille était déjà sortie. Qui pouvait le connaître et venir le voir avec le proviseur ?

— Vous excuserez le désordre..., disait la voix de Mme Guillaume, au bas de l'escalier.

Et la basse du proviseur répondait, aimable, rassurante :

— À cette heure-ci, c'est la même chose dans tous les ménages.

— Passez, monsieur.

— Après vous, disait une autre voix, que J.P.G. ne se souvenait pas d'avoir entendue.

De son lit, il fixait la porte, attendant avec angoisse qu'elle s'ouvrît. Le proviseur parut le premier, son melon à la main et, comme il tournait le dos à Mme Guillaume, il se permettait de froncer les sourcils, ignorant que J.P.G. le voyait. Il fut un peu surpris de le trouver juste en face de lui et il sourit trop largement, avec une bonhomie qui ne seyait pas à son visage.

— Vous voyez, nous sommes venus prendre de vos nouvelles.

La carrure du proviseur cachait en partie le second personnage qui ne se découvrit que quand Mme Guillaume se fut elle-même avancée.

— Tu connais monsieur Gonnet ? disait-elle du bout des lèvres, avec un sourire sucré.

Tout le monde souriait. C'était à croire que l'univers avait changé, que chacun cherchait à faire plaisir, à créer un éden de gentillesse et de douceur.

Le M. Gonnet s'avançait, la main tendue. Il était très grand. Vu du lit, il paraissait immense et J.P.G. le regardait avec embarras.

Il souriait aussi, naturellement.

— Vous êtes bien de Servans, n'est-ce pas ?

J.P.G. n'osait pas répondre. Il ne savait rien. Pour sauver la situation, il se tournait vers le proviseur et murmurait comme excuse :

— J'ai été obligé de me raser les moustaches. J'avais donné un coup de ciseaux malheureux.

L'angoisse le prenait à la gorge. Ce qui était surtout angoissant, c'était de voir les trois personnes autour du lit. Comme la chambre n'était pas grande, elles avaient l'air de le cerner. Les sourires eux-mêmes devenaient des menaces.

— Je disais hier à mon ami Gonnet que vous étiez des environs de Dole et il a déclaré que, si vous étiez le Jean-Paul Guillaume, de Servans, vous aviez été à l'école ensemble. Alors, ce matin, j'ai eu la curiosité de consulter votre dossier. J'ai vu que vous étiez bien né à Servans.

— Parbleu ! À la boulangerie ! dit le grand maigre. Tout à côté de l'église. La maison existe encore.

J.P.G. faisait comme eux. Il souriait vaguement.

— Après tant d'années, il est difficile de se reconnaître, ajoutait Gonnet en regardant J.P.G. dans les yeux. Les souvenirs se brouillent. Par exemple, j'aurais juré que vous étiez châtain clair. Au fait, en quelle année nous sommes-nous vus pour la dernière fois ?

— Heu !... Attendez...

— En tout cas, j'étais à l'enterrement de votre père.

Dans les draps, J.P.G. avait le corps moite et il sentait les gouttes de sueur dilater lentement les pores de sa peau. Il aurait voulu se lever pour être debout comme les autres, car, couché, il se sentait en état d'infériorité et il gardait la sensation d'une menace, d'un complot organisé contre lui.

Quand les visiteurs ne regardaient pas sa femme, elle en profitait pour froncer les sourcils et pour observer son mari avec méfiance.

Que lui avait-on dit, en bas ? Et qu'était-ce,

ce Gonnet qu'il n'avait jamais vu et qui, pourtant, lui rappelait quelque chose ? Est-ce qu'il y avait déjà une enquête ouverte à son sujet ? Mado, malgré ses airs, l'avait-elle reconnu et était-elle allée le dénoncer ?

— Vous devez vous souvenir de Juliette ?

— Juliette ? répéta-t-il en feignant un effort de mémoire.

— Mais oui, votre demi-sœur !

— Ah ! oui...

— Eh bien ! je l'ai épousée. Elle est ici, à La Rochelle. Elle sera bien contente de vous voir, elle aussi. Elle me parle toujours de Jean-Paul, qui lui faisait toutes les farces imaginables.

Le regard du proviseur n'était pas en harmonie avec son sourire. C'était un regard lourd, implacable, le regard d'un homme qui s'obstine à deviner ce qu'il y a derrière un mur.

— Tu ne parles pas beaucoup, remarqua Mme Guillaume.

Au lieu de l'aider, elle le trahissait. Elle le faisait exprès, cela se voyait à son air.

— Je suis un peu fatigué..., murmura-t-il en se passant la main sur le front.

C'était vrai, il n'avait pas besoin de feindre. Ses membres étaient de plomb ; son corps inerte comme après une émotion trop violente. Il avait envie d'un verre d'eau, mais il n'osait pas faire les mouvements nécessaires pour le prendre.

— Nous ne vous retiendrons pas davantage, dit le proviseur.

Il avait échangé quelques coups d'œil avec Gonnet. Gonnet avait fait un geste négatif que J.P.G. avait très bien vu dans le miroir.

Et voilà que, sans se donner le mot, chacun oubliait de sourire. Les visages s'étaient fermés, comme si la comédie eût été terminée.

Le proviseur reprenait son chapeau melon qu'il avait déposé sur une chaise et il omettait de tendre la main au malade.

— Soignez-vous, fit-il simplement en marchant vers la porte.

J.P.G. faillit le rappeler pour lui demander des explications, mais son regard rencontra Gonnet qui se retournait une dernière fois sur lui avec une satisfaction évidente.

Mme Guillaume les suivait. La chambre se vidait, elle était vide. Les pas décroissaient dans l'escalier, et les voix. Il y eut un temps d'arrêt dans le corridor, en face de la porte du salon. Mme Guillaume, sans doute, proposait à ses visiteurs d'y entrer un moment encore, mais ils s'excusaient ; la porte d'entrée était ouverte ; les murmures gagnaient le trottoir.

J.P.G. avait bondi hors de son lit et, debout sur le palier, penché sur la rampe, il essayait d'entendre, il attendait le retour de sa femme, ou tout au moins d'Hélène.

La porte d'entrée se referma. Pourquoi Mme Guillaume ne montait-elle pas tout de suite ? Qu'allait-elle faire au salon ? Pourquoi y appelait-elle sa fille ?

Il ne savait rien. C'était affolant. Il n'osait même pas appeler.

Il ne s'était pas trompé, tout à l'heure. Quand les trois personnes entouraient son lit, il avait deviné qu'elles étaient là pour le traquer, y compris sa femme.

Le murmure avait repris, en bas, et J.P.G. tendait l'oreille, percevait une voix larmoyante qu'entrecoupait soudain un sanglot, puis la voix douce d'Hélène.

Pourquoi les deux femmes pleuraient-elles ? Cela faisait penser à une maison où il y a un malade, quand le docteur, avant de sortir, a pris quelqu'un à part et lui a chuchoté :

— Préparez-vous au pire…

Quelle raison pouvaient-elles avoir de pleurer ? Qu'est-ce que le proviseur leur avait dit ? Quelles révélations ce Gonnet, qu'il ne connaissait pas, avait-il faites ?

J.P.G. attendait toujours, pieds nus, sur le palier. On ne pouvait pas le laisser sans nouvelles. Cela ne se fait pas, même quand on a quelque chose de grave à reprocher à quelqu'un.

— Hélène !..., appela-t-il à mi-voix.

Elle n'entendait pas ! La porte du salon était fermée. Et J.P.G. n'osait pas descendre. C'était plus fort que lui. Il lui semblait qu'il n'était en sûreté que dans sa chambre. Le palier lui-même lui faisait peur et il rentra, ferma la porte, se regarda dans le miroir où il vit un visage aux traits tirés par l'angoisse.

Il avait envie de casser quelque chose, de faire un geste violent, terrible. Par la fenêtre ouverte, il apercevait les poules rousses dans le fond du jardinet, et le seau qui contenait des petits pois écossés.

On ne s'en occupait plus. Les deux femmes oubliaient de préparer le déjeuner.

Elles le laissaient tout seul !

Rageusement, il frappa du pied sur le plancher, sachant bien qu'on l'entendrait, puisque le salon était juste en dessous de lui. En effet, le murmure se tut un moment, mais ce fut pour reprendre de plus belle.

Cela aurait pu continuer longtemps si Antoine n'était pas rentré du lycée. Comme toujours, il se dirigea vers la salle à manger où il n'y avait personne et où la table n'était même pas mise. Il appela :

— Maman !...

La porte du salon s'ouvrit. Antoine y fut admis. C'était toujours le complot qui se poursuivait ! On pleurait encore. La voix muante d'Antoine n'interrompait que de loin en loin les lamentations de sa mère.

— Tonnerre de Dieu ! jura J.P.G. en frappant du pied une fois de plus.

Et cette fois, il saisit la carafe pleine d'eau et la lança contre le mur, où elle éclata. La porte d'en bas s'ouvrit. Quelqu'un devait tendre l'oreille, mais personne ne monta.

Alors il commença à marcher en tous sens, faisant des gestes, grommelant des menaces. Il ressentit une légère douleur au pied, regarda et vit du sang.

Il s'était entaillé la plante du pied droit en marchant sur un morceau de verre.

Il faillit pleurer. La vue du sang le rendait malade. Il chercha à l'étancher, mais la coupure était profonde et le sang coulait d'abondance.

Assis au bord du lit, il se servait du drap propre pour serrer le pied blessé et il criait :

— Hélène !... Antoine !... Hélène !...

— Qu'est-ce qu'il y a ?

— Je veux que quelqu'un monte un instant...

Ce fut Hélène qui parut, le visage bouleversé. Elle regarda les morceaux de la carafe sur le plancher, puis son père qui tenait son pied à deux mains.

— Pourquoi m'as-tu appelée ?

— Je saigne ! gémit-il comme un enfant.

Il était presque content de saigner, parce que cela lui donnait une excuse.

— C'est profond ?

Hélène alla chercher une cuvette dans la salle de bains, prit une bouteille d'eau oxygénée dans la pharmacie ripolinée et mélangea le désinfectant à de l'eau fraîche.

— Pose ton pied dans la cuvette.

L'eau rougissait rapidement. À genou par terre, Hélène attendait que le moment fût venu de faire un pansement.

— Qu'est-ce qu'il y a, en bas ?

— Il n'y a rien, dit-elle.

— Pourquoi ta mère pleure-t-elle ?

— Parce qu'elle est nerveuse. Ces choses-là la bouleversent.

— Quelles choses ?

Mais il pressentait déjà qu'il ne saurait rien. Certes, sa fille le soignait, parce qu'on ne laisse pas quelqu'un saigner sans lui venir en aide. Seulement, il n'y avait chez elle aucune émotion. Rien dans sa façon d'être ne laissait supposer que c'était son père qui était devant elle.

Au contraire ! Sa peur du matin s'était accrue, son regard était plus méfiant.

— Qu'est-ce que le proviseur a dit en descendant ?

— Je ne sais pas.

Et, pour changer de conversation, elle se leva, se dirigea vers la pharmacie.

— Il vaut mieux mettre quand même de la teinture d'iode.

Elle avait préparé une bande Velpeau et elle l'enroula assez adroitement autour du pied blessé.

— Couche-toi, dit-elle.

— Ta mère ne va pas monter ?

— Je ne sais pas.

— Dis-lui que je voudrais lui parler.

Hélène sortit comme elle était venue, avec un soulagement évident. Une dizaine de minutes passèrent. J.P.G. s'était recouché et restait immobile au milieu du lit, à écouter toujours les bruits de la maison.

— Elle ne viendra pas ! Pourquoi a-t-elle peur de venir ?

On tisonnait le poêle de la cuisine. On vint prendre dans la cour le seau aux légumes. On allait sans doute improviser un déjeuner quelconque, car rien n'était préparé.

J.P.G. suait toujours. Son front était couvert de perles grasses. Il rageait. Il avait peur. Ses lèvres esquissaient un sourire sarcastique.

— Elle n'ose pas venir !

Il se trompait, puisqu'il y avait des pas dans l'escalier et que la porte s'ouvrait soudain. Mais Mme Guillaume n'entra pas. Elle resta debout sur le seuil. Elle avait séché ses yeux et même mis de la poudre. Son visage et son attitude étaient calmes et sévères.

Elle dut toussoter avant de prononcer :

— Qu'as-tu à me dire ?

J.P.G. la regarda avec autant de gêne que de stupeur. Tout comme sa fille, elle avait changé. Elle était là telle une étrangère et elle avait le même regard que le proviseur.

Elle ne bougea pas.

— Entre..., balbutia-t-il.

— J'écoute.

— Mais...

Il ne pouvait pas lui parler, comme cela. Il n'y avait aucun contact entre eux. Elle paraissait pressée de partir.

— C'est tout ce que tu as à me communiquer ?

Elle allait s'éloigner. Il s'empressa de parler.

— Qu'est-ce que le proviseur a dit ?

— Rien qui t'intéresse.

— Voyons, Jeanne ! supplia-t-il. J'ai besoin de savoir. Maintenant, je suis blessé et je ne puis même pas marcher...

Il espérait l'attendrir, mais elle regarda froidement les morceaux de verre qui jonchaient le sol.

— Ils ont bien dû dire quelque chose... Je ne sais pas, moi !

— Moi non plus. C'est tout ?

Cette fois, elle referma la porte, entra un moment dans la salle de bains, puis gagna le rez-de-chaussée. De rage, J.P.G. s'enfonçait le poing dans la bouche.

On n'avait pas le droit d'agir ainsi, de le laisser sans nouvelles, de l'entourer comme un mur de haine ou de méfiance. Il pleurait sans pleurer. Il n'avait pas de larmes, pas de sanglots, mais tout son visage était crispé par une grimace d'angoisse et de douleur.

En bas, comme si rien n'était, on posait des assiettes sur la nappe. Il entendait parfaitement les heurts de faïence. Il devinait Antoine assis à sa place, le menton sur les poings, l'air préoccupé, tandis que Mme Guillaume donnait un coup de main à sa fille pour activer le service.

La fenêtre de la cuisine s'ouvrit et il comprit pourquoi en entendant un grésillement. On cuisait quelque chose sur la poêle, sans doute des côtelettes. Le beurre avait brûlé, emplissant la cuisine d'une fumée bleue qui s'échappait maintenant par la fenêtre.

J.P.G. en voyait passer des traînées, devant sa fenêtre à lui et des odeurs lui arrivaient par bouffées.

Est-ce qu'au moins on allait lui apporter à manger ? Est-ce qu'on le servirait avant ou après les autres ?

Il attendait, rageur, les poings serrés. Il ressentait des lancinements au pied droit et se demandait si un morceau de verre n'était pas resté dans la plaie.

Qu'arriverait-il si, par exemple, il était tout à coup forcé de fuir ? Était-il capable de mettre un soulier et de marcher ?

Il se leva et tenta de se chausser. Le pansement était trop gros. Il le changerait tout à l'heure. Maintenant, il se rejetait sur son lit parce qu'on montait à nouveau.

C'était Hélène, avec une assiette qui contenait une côtelette et des pommes de terre bouillies. De la poche de son tablier, elle tira l'orange du dessert.

Elle ne parlait pas, ne regardait pas son père. Elle le servait avec la même indifférence qu'une domestique d'hôtel. Adroitement, sans lâcher l'assiette, elle débarrassa la table de nuit et y étala une serviette en guise de nappe. Dans l'autre poche de son tablier, elle avait mis le couteau et la fourchette.

— Voilà, murmura-t-elle encore.

Il faillit la retenir par la jupe et la supplier de rester un peu près de lui, de lui parler. Mais il la voyait trop calme, trop sûre d'elle, et la colère lui fit monter le sang à la tête.

— N'oublie pas d'aller prendre la lettre dans

la cave au charbon ! lança-t-il au moment où elle allait franchir le seuil.

Elle se retourna, surprise, rougissante, puis elle referma vivement la porte et descendit.

Il n'avait pas faim. Il avait plutôt soif et il dut se lever pour aller chercher de l'eau dans la salle de bains. Il boitait. Il s'arrêta devant la fenêtre, à regarder les cours et les jardins des maisons voisines, les fenêtres lointaines derrière lesquelles d'autres ménages étaient attablés pour le déjeuner.

Il était sûr que le proviseur, qui mangeait aussi, racontait l'histoire à sa femme, à petits coups, entre les bouchées.

« — Je suis allé chez Jean-Paul Guillaume avec un homme qui le connaît, un nommé Gonnet, qui est du même village. Eh bien, il ne l'a pas reconnu. Il a posé quelques questions et Guillaume n'a pas pu répondre. Qu'est-ce que tu en penses ?

« — Tu crois que c'est un imposteur ? »

Qu'allait-il arriver ? Est-ce qu'on pouvait prouver qu'il n'était pas Guillaume ? Bébert l'Italien, qui avait vendu les papiers à Mado avait juré qu'ils étaient parfaitement en règle et qu'on n'aurait jamais d'ennuis avec eux.

La côtelette refroidissait. J.P.G. eut un geste qui l'étonna lui-même à tel point que sa main resta un moment en suspens. En passant près de la table de nuit, en effet, il avait pris la côtelette entre deux doigts et il l'avait portée à sa bouche.

Or, il se vit dans la glace. Il demeura un instant immobile, puis il haussa les épaules et mordit dans la viande, en exagérant la bestialité de l'attitude.

Exprès, il prit de même les pommes de terre et s'essuya ensuite les doigts à son pyjama.

En bas, on maniait couteaux et fourchettes. Mais qu'est-ce qu'ils avaient vécu ? Qu'est-ce qu'ils savaient de l'existence ?

J.P.G. haussa encore les épaules et esquissa une moue de pitié méprisante.

X

C’était un dimanche comme il en existe dans les souvenirs d’enfance. Rien qu’en écoutant le bruit des cloches, les yeux clos, on sentait que le ciel était serein, l’air limpide, plus fluide que les autres jours grâce aux rues vides et aux mouvements plus lents des êtres.

J.P.G. s’était éveillé seul dans son lit, seul dans sa chambre, sans savoir que c’était dimanche. Il avait écouté. Il avait regardé l’heure, il avait deviné le chant d’une alouette juste au-dessus de la fenêtre, dans le rectangle de bleu délayé de soleil.

On remuait, en bas, et il reconnaissait les mouvements d’Hélène. Dans la salle de bains, il y avait du bruit. Le regard de J.P.G. atteignit la porte, descendit jusqu’au plancher et découvrit une tache blanche qui n’était pas là la veille.

Alors il se leva, méfiant, grimaça en posant son pied droit par terre, se pencha pour ramasser le papier plié en quatre qu'on avait glissé sous la porte. C'était du papier écolier arraché d'un cahier. Il était écrit au crayon, de l'écriture haute et molle d'Antoine.

« L'homme qui est venu hier est quelqu'un de la police. Il prétend que tu ne t'appelles pas Guillaume. Il a déjà écrit à Paris et il a envoyé ta photographie, celle qui était dans le pêle-mêle du salon. »

J.P.G. resta immobile, à contempler le papier et à tendre l'oreille. Les bruits confirmaient sa première idée : c'était dimanche. Sa femme vaquait à sa toilette. Hélène faisait le ménage, et sans doute Antoine étudiait-il ses leçons dans sa chambre.

C'était facile à contrôler. Il alla jusqu'à la fenêtre et cria :

— Déjeuner !

Il ne voulait même pas appeler sa fille par son nom, puisque de son côté elle évitait de lui adresser directement la parole. La fenêtre de la cuisine s'ouvrit. Une voix fit :

— Je viens.

Il resta accoudé à sa fenêtre, dominant le jardinet et les courettes voisines. Il était calme, avec, dans ses yeux marron, des velléités de sourire.

Peut-être n'était-ce que le contrecoup de son agitation de la veille, car il avait passé deux heures à se rouler sur son lit, en proie à une crise de rage.

C'est vers quatre heures qu'Hélène était entrée dans la chambre, d'une démarche hésitante, et avait commencé à prendre dans la garde-robe les effets de sa mère, emportant robes et jupons dans sa chambre, revenant ensuite vider les tiroirs de la commode.

— Que fais-tu ?

— Ce que maman m'a dit.

— Où est ta mère ?

— En bas.

— Dis-lui que je veux lui parler.

Mme Guillaume était montée, comme le matin. Comme le matin aussi, elle s'était arrêtée sur le seuil et avait prononcé :

— Je te prie de ne pas me déranger sans raison. Dorénavant, je dormirai dans la chambre d'Hélène.

Elle avait refermé la porte et elle était partie ! Le soir, on avait apporté à J.P.G. une assiette de soupe et un légume, comme à un prisonnier. Il avait tout jeté par terre et Hélène s'était accroupie pour ramasser les morceaux de faïence.

Maintenant, c'était passé. Il s'était assez rongé les sangs. Il ne voulait plus s'agiter. Il pensait, paisiblement, comme un homme, en regardant le dos des maisons et les jardins. Dans la courette voisine, une femme frottait des chaussures. Elle en avait au moins dix paires devant elle de tous les modèles.

J.P.G. suivit en pensée sa fille dans l'escalier. Elle entra, anxieuse, car elle ne pouvait savoir qu'il était calme, posa le plateau du petit déjeuner sur la table de nuit.

Il ne lui dit rien. Il remarqua seulement que, sous son tablier, elle était prête pour aller à la messe.

— Tu n'as besoin de rien d'autre ? demanda-t-elle d'une voix hésitante.

— De rien.

Il trempa les deux croissants dans son café et resta assis au bord du lit, face à la fenêtre ouverte. Il avait passé une drôle de nuit. Pendant des heures, il avait été agité, avec un fort mal de tête, au point qu'il avait craint d'être sérieusement malade. Puis, dès que le jour s'était levé, il avait goûté un sommeil voluptueux assez ténu pour qu'il en prît conscience.

Il n'aurait pas pu dire à quoi cela tenait, mais toutes les images qui lui passaient sur la rétine étaient des images ensoleillées, optimistes, qui se rapportaient à une même période de sa vie. L'illusion était si forte qu'il retrouvait des odeurs de cette époque-là, qu'il revoyait avec une netteté photographique des visages qu'il croyait oubliés.

Le boulevard des Italiens vers dix heures du

matin, par exemple, au mois de juin, en pleine saison de Paris, alors que tout fait penser aux vacances…

Il portait un canotier à la dernière mode, un jonc à pomme d'or. Il marchait lentement, s'arrêtait à la vitrine des chemisiers. Parfois il se retournait sur une femme ou bien, voyant un étranger sortir du Grand Hôtel, il le suivait pendant quelques minutes en se demandant si c'était un client pour Polti…

Il y avait aussi les après-midi au pesage, les grands chapeaux des femmes, de qui les robes, par contraste, étaient serrées aux chevilles.

« *L'homme qui est venu hier est quelqu'un de la police…* », lui écrivait Antoine.

J.P.G. était à La Rochelle et c'était dimanche. Sa femme quittait la salle de bains, descendait déjeuner, non sans appeler :

— Antoine ! Il est l'heure !

— Je viens.

J.P.G. souriait, parce que c'était fini. Il imaginait l'émotion que sa famille ressentirait tout à l'heure. Pour gagner du temps, il commença par se laver et se raser.

Il avait changé, évidemment, depuis le temps où il arpentait les Grands Boulevards, mais il y avait toujours les yeux qui restaient les mêmes et les lèvres avaient gardé leur coloration chaude. Quand il était jeune, sa tante ne lui disait-elle pas qu'il devait avoir du sang de métis dans les veines ?

Il mit beaucoup de poudre, se passa les cheveux à l'eau de Cologne, perdit plusieurs minutes à essayer de chausser son soulier droit sans retirer le pansement.

En bas s'achevait le petit déjeuner. Un tiroir s'ouvrait, celui qui contenait les livres de messe et les gants du dimanche.

— Dépêche-toi, Hélène !

J.P.G. ne bougeait pas. Chaque bruit lui parvenait avec une netteté merveilleuse et il en comprenait immédiatement le sens. C'était toujours la même chose. Mme Guillaume était déjà sur le seuil où elle mettait ses gants. Antoine, lui, attendait sur le trottoir. Et Hélène, qui devait s'occuper de tout, mettre le déjeuner au feu, rentrer le beurre à cause des mouches, était régulièrement en retard.

— Marchez toujours ! cria-t-elle.

J.P.G. entra dans la chambre de sa fille pour regarder par la fenêtre et, au milieu du trottoir désert, il vit sa femme, en soie noire, qui marchait à pas comptés, se retournait, lançait machinalement un coup d'œil à la maison. Hélène sortait à son tour, refermait la porte, rattrapait sa mère et son frère.

D'autres portes s'ouvraient, dans la rue, de

gens qui allaient aussi à la grand-messe. Des pigeons picoraient entre les gros pavés.

Alors, J.P.G. poussa un soupir de délivrance. Il pouvait remuer, faire du bruit ! Il ouvrit toutes les portes. Il prit sa meilleure valise au-dessus d'une garde-robe et y entassa du linge, un complet, une paire de chaussures.

La question de son pied se posait toujours. Il essaya de retirer le pansement sans rouvrir la plaie, mais le sang gicla aussitôt.

— Tant pis ! grogna-t-il.

Il mit sa chaussette ainsi, puis son soulier, grimaça un peu, ne sentit plus rien après quelques minutes.

Les deux femmes avaient dormi dans le même lit, qui était un lit de jeune fille, et J.P.G. regarda avec un sourire la chemise de nuit de sa femme pendue à la boule de cuivre.

Il avait rarement été si léger. Il vivait au rythme des cloches qui sonnaient à nouveau la grand-messe. C'était peut-être un jour de fête ? Le ciel était assez beau pour ça, l'air assez pétillant.

Et dans le cerveau de J.P.G., dans ses sens mêmes, deux époques se confondaient ; celle qu'il avait vécue avec Mado, celle de l'Exposition de Liège, du water-chute, de la nouvelle auto de Polti.

Après tant d'années il retrouvait une atmosphère de la même qualité.

— Il faudra que j'achète d'autres complets, songea-t-il en ajustant son nœud de cravate devant la glace.

Il n'avait que des complets impossibles, trop longs, trop droits, trop sombres. Il achèterait aussi un chapeau souple d'un gris bleuté comme les jeunes gens en portaient.

Un seul point restait sombre : il fallait trouver l'argent. L'avant-veille, il avait fait la bêtise de rendre les deux mille francs à sa femme. Il descendit dans la salle à manger, ouvrit le tiroir où on avait l'habitude d'enfermer les billets dans la boîte à biscuits.

La boîte était vide ! Il s'impatienta, fouilla les autres tiroirs, chercha en vain dans le salon.

Puis il regagna sa chambre et chercha dans la commode, dans la garde-robe. C'était une manie de sa femme de mettre les choses précieuses dans les endroits les plus inattendus, sous ses chemises, voire au-dessus des armoires.

Qu'avait-elle pu faire des deux mille francs ? Elle n'était pas sortie et, par conséquent, elle n'avait pu les reporter à la banque.

J.P.G. était pris de panique. Il ne pouvait pas fuir sans argent et il n'avait même pas deux cents francs dans son portefeuille.

— J'oubliais les économies des enfants..., pensa-t-il.

Car chacun avait ses économies, dont il était maître absolu. Hélène serrait les siennes dans une boîte en papier mâché qui devait se trouver dans sa garde-robe. Il mit la main dessus. La boîte fermait à clef. Elle était noire, avec de grands oiseaux dorés.

J.P.G. fit sauter la serrure en se servant d'un fer à friser qu'il prit sur la toilette. La première chose qu'il vit fut le portrait d'un jeune homme qu'il ne connaissait pas, mais il ne douta pas que ce fût celui qui jetait des lettres par le soupirail.

Il était assez beau, très brun, lui aussi. C'est à peine s'il avait dix-neuf ans.

Sous le portrait s'entassaient d'autres papiers, des lettres d'amies surtout, et enfin J.P.G. trouva l'argent, six cents francs à peu près, qu'il enfouit dans sa poche sans se donner la peine de remettre la boîte à sa place.

— Chez Antoine, maintenant !

La chambre était plus sombre, car elle ne recevait jamais le soleil. Le lit était en émail noir. Des cahiers restaient ouverts sur la table en chêne et, dans le tiroir de cette table, J.P.G. mit la main sur un portefeuille usé qui lui avait appartenu et dans lequel Antoine gardait trois cents francs.

Le temps passait. La messe était depuis longtemps commencée. J.P.G. se demanda s'il n'avait rien oublié, s'il n'existait dans la maison aucun objet facile à emporter et surtout facile à vendre. Mais non ! Sa femme portait tous ses bijoux sur elle.

Il souleva sa valise, qui était légère. En bas, il éprouva le besoin de faire un tour dans la cuisine, sans savoir pourquoi. Il reconnut l'odeur de la poule au pot, souleva même le couvercle de la marmite, puis il passa par la salle à manger et le salon…

Il avait juste le temps, s'il ne voulait rencontrer personne. Son plan était arrêté. Il avait prévu les moindres détails et même le cas où il serait surveillé et où on l'appréhenderait.

C'était ce qui le mettait de bonne humeur, car maintenant, il n'avait plus peur de rien !

Ce qui lui en avait donné l'idée, c'était l'attitude du docteur Digoin qui, les derniers jours, le prenait pour un fou.

Or, on ne met pas un fou en prison ! Au pis aller, on l'interne dans une maison de santé !

Par bonheur, J.P.G. avait reçu un coup de barre de fer sur la tête, à la Guyane, et il était resté trois mois à l'infirmerie. On pouvait y retrouver la trace de son passage et d'ailleurs il avait encore une large cicatrice au cuir chevelu.

Il ouvrit la dernière porte et resta un instant

debout sur le seuil que chauffait le soleil. Deux hommes suivaient le trottoir, portant des cannes à pêche.

J.P.G. referma la porte qui fit entendre son bruit familier. Sa valise à la main, il marcha dans la direction contraire à celle de l'église et de la place d'Armes.

Il le regrettait un peu. Il aurait aimé boire un dernier pernod — ou plutôt deux — dans la salle fraîche du Café de la Paix, comme on accomplit un pèlerinage.

Mais il n'avait pas le droit de risquer ainsi d'être vu. Il était en vacances, soit ! Il courait plutôt qu'il ne marchait. Il avait envie de chanter, mais il devait penser à sa sécurité.

À l'église, on en était à peu près à l'Élévation. La longueur de l'office dépendrait surtout du sermon.

J.P.G. passa par le quartier de Jéricho-la-Trompette et attendit l'autobus près de la voie de chemin de fer. Il ne voulait pas prendre le train à La Rochelle, où il serait aperçu.

Il gagna d'abord Marans, à vingt kilomètres de là. L'autobus était plein de paysannes en noir, mais il y avait aussi une équipe de football qui menait grand bruit. On traversait les campagnes plates, on s'arrêtait devant des églises qui se vidaient de leurs fidèles et devant des auberges où l'on jouait au billard russe.

Tout le monde parlait à la fois dans le bourdonnement du moteur, le criaillement des freins, la rumeur de la campagne dont les moindres parcelles vivaient d'une vie intense.

J.P.G. ne s'était pas informé de l'heure des trains. À Marans, il apprit qu'il avait avantage à prendre l'autobus de Luçon et il le fit après avoir bu une demi-bouteille de vin blanc dans un bistrot.

Il avait chaud. Ce n'était plus le printemps, mais l'été. Comme le soleil, à travers la vitre, lui frappait en plein la nuque, il étala son mouchoir en éventail derrière son chapeau.

À Luçon, la plupart des magasins étaient fermés. Des autos étaient arrêtées devant les pompes à essence. À la gare, il prit le train de Niort et là enfin il put rejoindre le rapide Bordeaux-Paris.

Aucune journée ne ressemblait à celle-là. Ainsi, il passa une heure unique dans le wagon-restaurant, en face d'une jeune fille bien habillée à qui, par deux fois, il passa le sel et la moutarde. Il ne lui faisait pas la cour, mais cela le ravissait quand même.

Que dirait-elle, sa femme, en trouvant la chambre vide ? Était-elle assez lâche pour avertir la police ?

« Je parie qu'elle a bondi sur l'endroit où elle a caché ses deux mille francs ! » songea-t-il.

Avant même de se débarrasser de son missel et de ses gants !

En mangeant, il but encore une demi-bouteille de bordeaux puis, comme le garçon passait avec des flacons dorés, il accepta une chartreuse. Le train ne comportait pas de troisièmes classes. J.P.G. voyageait en seconde. Sur sa banquette, il avait trouvé des journaux amusants et il les parcourut de bout en bout.

Le convoi allait vite. Jamais J.P.G. n'avait eu l'impression d'aller si vite. C'était un enchantement, une griserie. Toutes les vitres ruisselaient d'un soleil mouvant.

On traversa la Loire où il y avait une multitude de canots, peut-être à cause d'un concours de pêche, car on voyait des fanions attachés à des mâts. Dans un autre village que l'on frôlait, une fanfare traversait les rues en jouant de tous ses cuivres.

J.P.G. n'avait jamais visité une maison de santé, mais il devinait comment cela devait être. Les chambres étaient blanches, ripolinées, très propres. Des infirmières faisaient le service, en blanc, elles aussi. Au-delà des fenêtres s'étendait fatalement un parc, en tout cas un grand jardin et on buvait beaucoup de lait, beaucoup de bouillon, avec des pains de régime…

Il avait presque envie d'y être !

Mais non ! Ça, c'était le pis-aller. Il préférait

un poste dans un palace de la Côte d'Azur, à la « réception », et la jaquette, les repas pris avec le haut personnel…

À la dernière minute, il pensa que son arrivée pouvait être signalée à Paris et il descendit à Versailles, qu'il ne connaissait guère. Là aussi, il y avait des autobus et il y prit place avec sa petite valise. Quand on franchit la porte de Saint-Cloud, le jour finissait et des milliers de gens revenaient avec des brassées de fleurs des campagnes d'alentour.

— Ce qui importe, maintenant, c'est de retrouver Bébert l'Italien, ou un autre marchand de faux papiers.

Il ne pensait pas que vingt ans s'étaient écoulés, que les gens pouvaient ne plus être à la même place que jadis.

Il descendit dans un hôtel de l'avenue des Ternes, y déposa sa valise, se lava les mains et sortit, poussé par un besoin impérieux d'aller de l'avant.

XI

— Ce qu'ils sont plus bêtes que de mon temps ! pensait-il.

Ils, c'étaient les patrons et les garçons de bistrots. J.P.G. n'avait pas oublié les endroits où il avait des chances de retrouver ceux qu'il cherchait.

Le premier bar, près de la Trinité, était resté le même qu'autrefois, sauf qu'on avait abattu une cloison. J.P.G. s'était accoudé au zinc. Il avait commandé un pernod et, avec l'air d'un habitué, il avait murmuré :

— Bébert l'Italien est toujours par ici ?

Le garçon l'avait regardé avec attention, s'était tourné vers le patron à qui il avait adressé une œillade.

— Connais pas !

J.P.G. n'était pas assez sot pour le croire. On lui trouvait une drôle d'allure, avec son complet noir de professeur de lycée et son chapeau melon. Qu'est-ce que cela aurait été s'il eût gardé ses moustaches !

Les pommettes un peu roses, il poursuivait :

— Vous savez ! Vous n'avez pas besoin de vous gêner. Je suis un de ses copains...

On ne le croyait pas. On le prenait pour quelqu'un de la police et il s'en alla d'un air dégoûté, gagna à pied la rue Blanche où il connaissait d'autres endroits. Mais l'un n'existait plus. Un autre était tenu par une grosse blonde qui lui rappela quelque chose mais trop vaguement.

— Un pernod..., dit-il.

Il avait repoussé son chapeau melon en arrière. À cette heure, un dimanche, presque tous les débits de ce genre étaient vides.

— Il y a des courses ? questionna-t-il.

On s'étonna de sa question.

— Et alors ! C'est la réouverture de Deauville !

De son temps, on n'allait pas encore à Deauville pour les courses. Il en fut presque vexé.

— Vous connaissez Bébert l'Italien ?

— Qui ?

— Bébert... Un petit maigre, qui n'est d'ailleurs pas italien, mais corse...

Non ! On ne le connaissait pas et il échoua place Pigalle, dans un bar moins fréquenté, où grouillaient les filles du trottoir et des mauvais garçons en casquette. Il se faufila jusqu'au comptoir. Il avait perdu de son assurance. Le Paris dans lequel il errait depuis deux heures le déroutait.

Pourtant, c'était bien le quartier de Bébert. À moins qu'il soit allé au bagne à son tour…

— Mais non ! pensa-t-il. Il est trop malin pour ça.

Il s'approchait petit à petit du patron.

— Dites donc… Il y a longtemps qu'on n'a plus vu Bébert par ici ?

— Quel Bébert ?

— L'Italien !

Le patron regarda autour de lui comme si ces mots eussent constitué une imprudence.

— D'où tu reviens ? questionna-t-il à voix basse, en se penchant sur J.P.G., qui était un peu saoul.

— Du « dur ».

— Qu'est-ce que tu lui veux, à Bébert ?

— C'est un copain. J'ai une commission à lui faire…

Il exagérait l'accent, but son troisième ou son quatrième pernod d'un trait.

— Faut plus parler de Bébert, tu comprends ? Maintenant, c'est monsieur Philippe.

— Monsieur Philippe ?

— Tu connais le grand dancing du boulevard Clichy ? Eh bien ! c'est lui le patron. Moi, je ne t'ai rien dit. Des fois que tu ne serais pas franc…

Jamais J.P.G. n'avait connu un Montmartre aussi tumultueux. C'était à croire que toutes les maisons de Paris s'étaient déversées dans un seul quartier. Sur le terre-plein du boulevard s'alignaient des baraques foraines. Les terrasses étaient noires de monde et l'odeur de bière prenait à la gorge.

Il avait faim et il pénétra dans deux restaurants avant de trouver de la place dans un troisième, un « bouillon » à prix fixe, au bas de la rue Lepic. Le dîner coûtait six francs. Les serveuses couraient entre les tables en criant des avertissements.

— Annoncez. Pour qui le mille-feuille ? Et l'andouillette ? Un instant pour l'addition…

Débarrassée de sa charge de petits plats et d'assiettes, une femme en tablier blanc s'approchait d'une table, déchirait un coin du papier qui servait de nappe, alignait des chiffres.

— Dix sous de supplément pour le châteaubriant… Qu'est-ce que vous avez après ?…

Il y avait beaucoup de jeunes gens qui portaient des vestons aux épaules carrées comme on n'en voyait pas à La Rochelle. Cela remplaçait les « pète-en-l'air » de jadis et les souliers pointus.

J.P.G. les regardait avec un certain découragement. Eux ne le remarquaient même pas, pas plus que les petites femmes qui mangeaient seules à d'autres tables.

Il fallait retrouver M. Philippe, puisque c'était maintenant le nom de Bébert. C'était le plus important car J.P.G. avait besoin de papiers tout de suite. Même à l'hôtel, on pouvait les lui réclamer.

Quand il quitta le restaurant, il était neuf heures et demie et les gens faisaient la queue à la porte d'un cinéma de la place Blanche.

Il chercha le dancing dont on lui avait parlé. C'était un nouvel établissement qu'il ne connaissait pas et il paya cinq francs d'entrée, se trouva dans une salle si violemment éclairée qu'il en eut mal aux yeux.

C'était déjà presque plein. Cela travaillait comme une usine. Les garçons étaient aussi affairés que les serveuses du restaurant. Il y avait deux orchestres, des jeux dans tous les coins, des tirs, des instruments pour calculer la force des doigts ou des poignets, des machines à boxer et des jeux d'adresse.

Un instant, J.P.G. pensa à l'Exposition de Liège où il y avait aussi un parc d'attractions, mais ce n'était pas du tout la même chose.

Les gens surtout étaient différents. Il n'aimait pas les petits jeunes gens qui le frôlaient, ni les femmes maigres, à peine habillées, sans féminité.

Il s'adressa à un chasseur en uniforme bleu ciel.

— Monsieur Philippe ?

— C'est pour une place ?

— Non. C'est personnel...

— Vous le connaissez ?

— Je l'ai très bien connu.

— Dans ce cas vous le trouverez dans la salle.

Cela dura plus d'une demi-heure. J.P.G. se glissait entre les couples, à la recherche de Bébert l'Italien, qu'il n'était pas sûr de reconnaître, car il l'avait peu fréquenté. C'était surtout Mado qui le voyait et c'était elle qui lui avait acheté les papiers au nom de Guillaume.

Ils étaient plusieurs, en smoking, à avoir l'air de surveiller la salle et le service. Trois fois J.P.G. était passé près d'un homme assez court, mais ventru, presque chauve, au teint rose, qui interpellait de temps en temps un garçon.

— Vous n'avez pas vu monsieur Philippe ? demanda-t-il à l'un d'eux.

— Le patron ? Il est juste devant vous...

C'était lui ! Il avait pris du ventre. Il était méconnaissable. J.P.G. s'approcha timidement. Il ne voulait plus être pris pour un imbécile.

— Bébert..., dit-il en arrivant près du directeur.

Et il pensait :

— Il va voir tout de suite que j'en suis !

Mais le patron le regarda avec indifférence.

— Vous désirez ?

— Je voudrais vous parler un moment.

— J'écoute.

Ils étaient en pleine foule. Bébert n'oubliait pas de surveiller son personnel.

— J'aimerais mieux ailleurs.

Bébert le regarda dans les yeux, fronça les sourcils comme si cet examen eût été défavorable et fit quelques pas en arrière, de façon à être à l'écart des danseurs.

— Eh bien ?

— C'est à moi que vous avez vendu des papiers au nom de Jean-Paul Guillaume. J'étais l'ami de Mado.

— Ah !

L'autre disait cela avec une parfaite indifférence.

— Qu'est-elle devenue, Mado ?

— Elle est manucure, à La Rochelle.

— Ce n'est pas mal. Et vous êtes avec elle ?

— Vous vous souvenez de moi ?

— Pas exactement.

— Une affaire, au Grand Hôtel, il y a vingt ans... Dix ans de dur, et le reste...

— Je vous ai dit de garder la loge 7 ! cria le patron à un garçon.

— Les gens s'y sont installés.

— Eh bien ! conduisez-les ailleurs. Et s'ils ne sont pas contents…

Son regard revint à J.P.G.

— Je vous écoute.

— Je me suis rangé. J'ai une femme, des enfants. Puis j'ai revu Mado…

— Oui !

Est-ce que seulement M. Philippe écoutait ? Il avait l'œil à tout, faisait signe au second orchestre de mettre plus d'entrain.

— Je crois que maintenant on me cherche. Il me faudrait des papiers. Je ne suis pas riche mais, petit à petit, je pourrai payer assez cher…

Son compagnon le regarda dans les yeux, durement, grommela :

— Dis donc !

— Quoi ? bégaya J.P.G.

— Tu es venu me faire chanter, hein ? Je commence à comprendre ton histoire de faux papiers et de Mado. Et d'abord, quelle Mado est-ce ?

— Mado !… Celle qui…

— Écoute ! Je suis le patron de la boîte, moi. Tu comprends ? Je n'ai aucune raison de me mouiller. Je crois que je ne t'ai jamais vu…

— Souvenez-vous… Je vous assure… Il faut absolument…

— Tu n'es pas un peu saoul ?

— Je ne suis pas saoul. J'ai voyagé toute la journée. Si je ne trouve pas de papiers…

Ce mot « papiers » déplaisait au directeur, qui feignait de ne plus même écouter le visiteur.

— J'ai tout de suite pensé à vous. Je vous ai cherché dans les bars où on vous voyait autrefois…

J.P.G. était affolé. Il suppliait. Il arrivait au bout d'une grande course et voilà que le but se dérobait.

— Combien veux-tu ?

— Mais…

— Je peux te donner quelques louis pour croûter.

M. Philippe saluait des clients qui arrivaient en tenue de soirée et qui se dirigeaient vers la loge 7. Il y eut une discussion, parce que le garçon n'était pas encore parvenu à en faire sortir ceux qui l'occupaient.

Le directeur se précipita.

— Un instant, monsieur le député… Je vous demande pardon… Mesdames, cette loge est retenue et je vous demande de bien vouloir vous installer ailleurs… On va vous chercher de bonnes places près de la piste…

J.P.G. ne bougeait pas. Il attendait, le sang à la tête.

— Raté ! songeait-il.

Car il était sûr que, désormais, les choses ne s'arrangeraient pas. Il s'affolait de plus en plus. Il vit M. Philippe parler à un homme en noir qui se promenait près du bar et il lui sembla qu'on le désignait.

Le directeur revint.

— Je n'ai pas le temps de m'occuper de vous ce soir.

— Mais c'est ce soir qu'il me faut des papiers ! Je n'ai pas envie de retourner *là-bas*...

— Venez me voir un de ces jours. Je réfléchirai.

— Vous ne comprenez donc pas ?

— Excusez-moi. On me demande.

D'un coup d'œil J.P.G. embrassa toute la salle, le plafond haut, les lustres, les balcons, les deux orchestres. Il eut l'impression que l'homme en noir se rapprochait insensiblement de lui.

Il comprit, ou crut comprendre. C'était un policier, comme il y en a toujours dans les établissements de ce genre. Et le directeur, qui avait besoin de la police, était obligé de lui rendre de petits services.

Pourquoi avait-il disparu ? Pour ne pas assister à ce qui allait arriver, parbleu !

Il avait dû dire :

— Occupez-vous du type à qui je viens de parler. Il doit être de bonne prise…

Polti, à l'occasion, en faisait autant autrefois, en vendant des petits fricoteurs pour qu'on le laissât tranquille.

J.P.G. se dirigea vers le bar, commanda un grand verre d'alcool.

— Whisky ?

— Si vous voulez.

Il le but d'un trait, sans eau. Il ne s'était pas trompé. L'homme en noir n'était pas à trois mètres de lui. Il prenait en vain un air dégagé. N'empêche qu'il gardait la main droite dans sa poche, ce que J.P.G. comprenait aussi.

— Encore un ! commanda-t-il.

Et il grommelait à part lui :

— Pas si bête !

Il avait son idée. Il regardait tour à tour ses voisins, ses voisines avec un sourire mystérieux. Il pensait :

— Dans quelques instants, ils feront une drôle de tête !

Le directeur, Bébert l'Italien, s'était installé à la galerie, d'où il épiait J.P.G. Celui-ci l'aperçut, lui tira la langue et soudain, avec une rapidité incroyable, retira son veston, son gilet, son pantalon, essaya d'arracher sa chemise.

La musique n'arrêta pas de jouer. Mais, au

bar, il y avait des cris, des tabourets renversés, des femmes qui fuyaient.

L'homme en noir avait bondi et il serrait les deux poignets de J.P.G. en lui donnant des coups de pied dans les tibias et en grognant :

— Fais pas l'imbécile !

Mais J.P.G. continua à faire l'imbécile ! Au point qu'on dut lui attacher les jambes pour le transporter dehors.

Il pensait à la chambre ripolinée, à l'infirmière en blanc, au grand parc tacheté d'ombre et de soleil...

Le second orchestre succédait au premier et les clients reprenaient leur place en riant.

— Pressons le mouvement ! lançait M. Philippe à ses garçons. Le 7 n'a pas encore son champagne !

Dans un taxi, J.P.G. était coincé entre deux inspecteurs et restait immobile parce que, chaque fois qu'il faisait mine de bouger, on lui tordait les poignets.

DU MÊME AUTEUR

Dans la collection Folio Policier

LE LOCATAIRE (nº 45).

45° À L'OMBRE (nº 289).

LES DEMOISELLES DE CONCARNEAU (nº 46).

LE TESTAMENT DONADIEU (nº 140).

L'ASSASSIN (nº 61).

FAUBOURG (nº 158).

CEUX DE LA SOIF (nº 100).

CHEMIN SANS ISSUE (nº 246).

LES TROIS CRIMES DE MES AMIS (nº 159).

LA MAUVAISE ÉTOILE (nº 213).

LE SUSPECT (nº 54).

LES SŒURS LACROIX (nº 181).

LA MARIE DU PORT (nº 167).

L'HOMME QUI REGARDAIT PASSER LES TRAINS (nº 96).

LE CHEVAL BLANC (nº 182).

LE COUP DE VAGUE (nº 101).

LE BOURGMESTRE DE FURNES (nº 110).

LES INCONNUS DANS LA MAISON (nº 90).

IL PLEUT BERGÈRE... (nº 211).

LE VOYAGEUR DE LA TOUSSAINT (nº 111).

ONCLE CHARLES S'EST ENFERMÉ (nº 288).

LA VEUVE COUDERC (nº 235).

LA VÉRITÉ SUR BÉBÉ DONGE (nº 98).

LE RAPPORT DU GENDARME (nº 160).

L'AÎNÉ DES FERCHAUX (nº 201).

LE CERCLE DES MAHÉ (nº 99).

LES SUICIDÉS (nº 321).

LE FILS CARDINAUD (nº 339).

LE BLANC À LUNETTES (nº 343).

LES PITARD (nº 355).

TOURISTE DE BANANES (nº 384).

LES NOCES DE POITIERS (nº 385).

L'ÉVADÉ (nº 397).

LES SEPT MINUTES (nº 398).

COLLECTION FOLIO POLICIER

Dernières parutions

200. Robert Littell	*Le fil rouge*
201. Georges Simenon	*L'aîné des Ferchaux*
202. Patrick Raynal	*Le marionnettiste*
203. Didier Daeninckx	*La repentie*
205. Charles Williams	*Le pigeon*
206. Francisco González Ledesma	*Les rues de Barcelone*
207. Boileau-Narcejac	*Les louves*
208. Charles Williams	*Aux urnes, les ploucs !*
209. Larry Brown	*Joe*
210. Pierre Pelot	*L'été en pente douce*
211. Georges Simenon	*Il pleut bergère...*
212. Thierry Jonquet	*Moloch*
213. Georges Simenon	*La mauvaise étoile*
214. Philip Lee Williams	*Coup de chaud*
215. Don Winslow	*Cirque à Piccadilly*
216. Boileau-Narcejac	*Manigances*
217. Oppel	*Piraña matador*
218. Yvonne Besson	*Meurtres à l'antique*
219. Michael Dibdin	*Derniers feux*
220. Norman Spinrad	*En direct*
221. Charles Williams	*Avec un élastique*
222. James Crumley	*Le canard siffleur mexicain*
223. Henry Farrell	*Une belle fille comme moi*
224. David Goodis	*Tirez sur le pianiste !*
225. William Irish	*La sirène du Mississippi*
226. William Irish	*La mariée était en noir*
227. José Giovanni	*Le trou*
228. Jérome Charyn	*Kermesse à Manhattan*
229. A.D.G.	*Les trois Badours*
230. Paul Clément	*Je tue à la campagne*
231. Pierre Magnan	*Le parme convient à Laviolette*
232. Max Allan Collins	*La course au sac*

233. Jerry Oster	*Affaires privées*
234. Jean-Bernard Pouy	*Nous avons brûlé une sainte*
235. Georges Simenon	*La veuve Couderc*
236. Peter Loughran	*Londres Express*
237. Ian Fleming	*Les diamants sont éternels*
238. Ian Fleming	*Moonraker*
239. Wilfrid Simon	*La passagère clandestine*
240. Edmond Naughton	*Oh ! collègue*
241. Chris Offutt	*Kentucky Straight*
242. Ed McBain	*Coup de chaleur*
243. Raymond Chandler	*Le jade du mandarin*
244. David Goodis	*Les pieds dans les nuages*
245. Chester Himes	*Couché dans le pain*
246. Elisabeth Stromme	*Gangraine*
247. Georges Simenon	*Chemin sans issue*
248. Paul Borelli	*L'ombre du chat*
249. Larry Brown	*Sale boulot*
250. Michel Crespy	*Chasseurs de tête*
251. Dashiell Hammett	*Papier tue-mouches*
252. Max Allan Collins	*Mirage de sang*
253. Thierry Chevillard	*The Bad leitmotiv*
254. Stéphanie Benson	*Le loup dans la lune bleue*
255. Jérome Charyn	*Zyeux-Bleus*
256. Jim Thompson	*Le lien conjugal*
257. Jean-Patrick Manchette	*Ô dingos, ô châteaux !*
258. Jim Thompson	*Le démon dans ma peau*
259. Robert Sabbag	*Cocaïne blues*
260. Ian Rankin	*Causes mortelles*
261. Ed McBain	*Nid de poulets*
262. Chantal Pelletier	*Le chant du bouc*
263. Gérard Delteil	*La confiance règne*
264. François Barcelo	*Cadavres*
265. David Goodis	*Cauchemar*
266. John D. MacDonald	*Strip-tilt*
267. Patrick Raynal	*Fenêtre sur femmes*
268. Jim Thompson	*Des cliques et des cloaques*
269. Lawrence Block	*Huit millions de façons de mourir*
270. Joseph Bialot	*Babel-Ville*
271. Charles Williams	*Celle qu'on montre du doigt*
272. Charles Williams	*Mieux vaut courir*
273. Ed McBain	*Branle-bas au 87*

274. Don Tracy *Neiges d'antan*
275. Michel Embareck *Dans la seringue*
276. Ian Rankin *Ainsi saigne-t-il*
277. Bill Pronzini *Le crime de John Faith*
278. Marc Behm *La Vierge de Glace*
279. James Eastwood *La femme à abattre*
280. Georg Klein *Libidissi*
281. William Irish *J'ai vu rouge*
282. David Goodis *Vendredi 13*
283. Chester Himes *Il pleut des coups durs*
284. Guillaume Nicloux *Zoocity*
285. Lakhdar Belaïd *Sérail killers*
286. Caryl Férey *Haka*
287. Thierry Jonquet *Le manoir des immortelles*
288. Georges Simenon *Oncle Charles s'est enfermé*
289. Georges Simenon *45° à l'ombre*
290. James M. Cain *Assurance sur la mort*
291. Nicholas Blincoe *Acid Queen*
292. Robin Cook *Comment vivent les morts*
293. Ian Rankin *L'ombre du tueur*
294. François Joly *Be-bop à Lola*
295. Patrick Raynal *Arrêt d'urgence*
296. Craig Smith *Dame qui pique*
297. Bernhard Schlink *Un hiver à Mannheim*
298. Francisco González Ledesma *Le dossier Barcelone*
299. Didier Daeninckx *12, rue Meckert*
300. Dashiell Hammett *Le grand braquage*
301. Dan Simmons *Vengeance*
302. Michel Steiner *Mainmorte*
303. Charles Williams *Une femme là-dessous*
304. Marvin Albert *Un démon au paradis*
305. Frederic Brown *La belle et la bête*
306. Charles Williams *Calme blanc*
307. Thierry Crifo *La ballade de Kouski*
308. José Giovanni *Le deuxième souffle*
309. Jean Amila *La lune d'Omaha*
310. Kem Nunn *Surf City*
311. Matti Yrjänä Joensuu *Harjunpäa et l'homme oiseau*
312. Charles Williams *Fantasia chez les ploucs*
313. Larry Beinhart *Reality show*

315. Michel Steiner	*Petites morts dans un hôpital psychiatrique de campagne*
316. P.J. Wolfson	*À nos amours*
317. Charles Williams	*L'ange du foyer*
318. Pierre Rey	*L'ombre du paradis*
320. Carlene Thompson	*Ne ferme pas les yeux*
321. Georges Simenon	*Les suicidés*
322. Alexandre Dumal	*En deux temps, trois mouvements*
323. Henry Porter	*Une vie d'espion*
324. Dan Simmons	*L'épée de Darwin*
325. Colin Thibert	*Noël au balcon*
326. Russel Greenan	*La reine d'Amérique*
327. Chuck Palahniuk	*Survivant*
328. Jean-Bernard Pouy	*Les roubignoles du destin*
329. Otto Friedrich	*Le concasseur*
330. François Muratet	*Le pied-rouge*
331. Ridley Pearson	*Meurtres à grande vitesse*
332. Gunnar Staalesen	*Le loup dans la bergerie*
333. James Crumley	*La contrée finale*
334. Matti Yrjänä Joensuu	*Harjunpää et les lois de l'amour*
335. Sophie Loubiere	*Dernier parking avant la plage*
336. Alessandro Perissinotto	*La chanson de Colombano*
337. Christian Roux	*Braquages*
338. Gunnar Staalesen	*Pour le meilleur et pour le pire*
339. Georges Simenon	*Le fils Cardinaud*
340. Tonino Benacquista	*Quatre romans noirs*
341. Richard Matheson	*Les seins de glace*
342. Daniel Berkowicz	*La dernière peut-être*
343. Georges Simenon	*Le blanc à lunettes*
344. Graham Hurley	*Disparu en mer*
345. Bernard Mathieu	*Zé*
346. Ian Rankin	*Le jardin des pendus*
347. John Farris	*Furie*
348. Carlene Thompson	*Depuis que tu es partie*
349. Luna Satie	*À la recherche de Rita Kemper*
350. Kem Nunn	*La reine de Pomona*
351. Chester Himes	*Dare-dare*
352. Joe R. Lansdale	*L'arbre à bouteilles*
353. Beppe Ferrandino	*Le respect*
354. Davis Grubb	*La nuit du chasseur*
355. Georges Simenon	*Les Pitard*

356. Donald Goines — *L'accro*
357. Colin Bateman — *La bicyclette de la violence*
358. Staffan Westerlund — *L'institut de recherches*
359. Matilde Asensi — *Iacobus*
360. Henry Porter — *Nom de code : Axiom Day*
361. Colin Thibert — *Royal cambouis*
362. Gunnar Staalesen — *La belle dormit cent ans*
363. Don Winslow — *À contre-courant du grand toboggan*
364. Joe R. Lansdale — *Bad Chili*
365. Christopher Moore — *Un blues de coyote*
366. Joe Nesbø — *L'homme chauve-souris*
367. Jean-Bernard Pouy — *H4Blues*
368. Arkadi et Gueorgui Vaïner — *L'Évangile du bourreau*
369. Staffan Westerlund — *Chant pour Jenny*
370. Chuck Palahniuk — *Choke*
371. Dan Simmons — *Revanche*
372. Charles Williams — *La mare aux diams*
373. Don Winslow — *Au plus bas des Hautes Solitudes*
374. Lalie Walker — *Pour toutes les fois*
375. Didier Daeninckx — *La route du Rom*
376. Yasmina Khadra — *La part du mort*
377. Boston Teran — *Satan dans le désert*
378. Giorgio Todde — *L'état des âmes*
379. Patrick Pécherot — *Tiuraï*
380. Henri Joseph — *Le paradis des dinosaures*
381. Jean-Bernard Pouy — *La chasse au tatou dans la pampa argentine*
382. Jean-Patrick Manchette — *La Princesse du sang*
383. Dashiell Hammett — *L'introuvable*
384. Georges Simenon — *Touriste de bananes*
385. Georges Simenon — *Les noces de Poitiers*
386. Carlene Thompson — *Présumée coupable*
387. John Farris — *Terreur*
388. Manchette-Bastid — *Laissez bronzer les cadavres !*
389. Graham Hurley — *Coups sur coups*
390. Thierry Jonquet — *Comedia*
391. George P. Pelecanos — *Le chien qui vendait des chaussures*
392. Ian Rankin — *La mort dans l'âme*
393. Ken Bruen — *R&B. Le Gros Coup*

Composition Interligne
Impression Novoprint à Barcelone,
le 15 novembre 2005
Dépôt légal: novembre 2005

ISBN 2-07-031947-4/Imprimé en Espagne.

138887